À la conquête du PLAISIR SEXUEL

Distribution pour le Canada :
Agence de distribution populaire
1261 A, rue Shearer
Montréal (Québec) H3K 3G4
Téléphone: (514) 523-1182
Télécopieur: (514) 939-0705

Distribution pour la France et la Belgique :
Diffusion Casteilla
10, rue Léon-Foucault
78184 Saint-Quentin-en-Yvelines Cedex
Téléphone: (1) 30 14 19 30

Distribution pour la Suisse :
Diffusion Transat S.A.
Case postale 1210
4 ter, route des Jeunes
1211 Genève 26
Téléphone: 022 / 342 77 40
Télécopieur: 022 / 343 4646

Sylvie Lavallée sexologue

À la conquête du
PLAISIR SEXUEL

ÉDITIONS
TRUSTAR

Une division de Trustar ltée
2020, rue University
20e étage, bureau 2000
Montréal (Québec) H3A 2A5

Vice-président, éditions : Claude Leclerc
Direcrice des éditions : Annie Tonneau
Correction : Corinne De Vailly, Christian Monnin
Couverture : Michel Denommée
Photo de l'auteure : Guy Beaupré
Maquillage et coiffure : Macha Colas
Infographie : Roger Des Roches-SÉRIFSANSÉRIF

Le nom des personnes citées dans cet ouvrage a été changé afin de préserver la confidentialité de leurs propos.

Dépôt légal: premier trimestre 2000
Bibliothèque nationale du Québec
Bibliothèque nationale du Canada
ISBN: 2-921714-50-7

REMERCIEMENTS

Je désire remercier chaleureusement tous ces hommes et femmes qui furent mes clients, et qui m'ont confié cette partie très intime de leur vie qu'est leur sexualité. Merci pour votre confiance!

Je remercie également Annie Tonneau, qui m'a offert la chance de publier cet ouvrage, et Nicolas Boisclair, pour ses idées toujours stimulantes, son esprit d'analyse, sa pensée sexologique et le tact dont il a fait preuve dans ses judicieux commentaires. Merci à toi, de m'avoir encouragée tout au long de ce processus et d'être si attentionné à mon égard!

TABLE DES MATIÈRES

POURQUOI ÉCRIRE UN LIVRE SUR LE PLAISIR SEXUEL?

Pour une simple raison: le plaisir sexuel est ce qui ressort avant tout des consultations sexologiques, la plupart des clients recherchant le plaisir à travers leur sexualité. Ils veulent avoir encore plus de *fun* qu'avant ou tout simplement retrouver leur enthousiasme d'antan. Voilà tout! Mais comment faire? Par où commencer? Quels nouveaux gestes peut-on introduire dans nos pratiques sexuelles? La routine sexuelle a-t-elle envahi votre couple?

Cet ouvrage se propose de répondre à ces questions et à bien d'autres encore. J'ai choisi plusieurs thèmes qui permettent de mieux comprendre le plaisir sexuel et de tenter de le raviver. Ces sujets touchent les diverses formes de l'érotime humain: l'identité sexuelle, le rapport à l'autre sexe et la génitalité.

La sexualité est synonyme de vie et de plaisir! C'est d'ailleurs l'objectif de cet ouvrage et le but visé à travers chacun des chapitres.

Prenez donc plaisir à lire et à découvrir comment vous pouvez agrémenter votre univers sexuel.

CHAPITRE 1

Féminité et masculinité, les archétypes de l'érotisme

Nous sommes tous des Docteur Jekyll et Mister Hyde. Surprenante révélation! En effet, deux pôles sommeillent en nous et sont en perpétuelle ébullition lorsque nous vivons notre sexualité. Bien que nous ayons un sexe biologique et anatomique assigné — homme ou femme — dès la naissance, à l'âge adulte, le sexe psychologique et imaginaire l'emporte!

Je dis toujours à mes patients que l'essence de notre personnalité est cristallisée et demeure inchangée dans la vie de tous les jours et dans notre sexualité. Nous sommes ce que nous sommes, nous ne nous métamorphosons pas dans nos activités sexuelles. Nous n'entrons pas en transe, ne sommes pas en dédoublement de personnalité ni en épisode psychotique. Loin de là!

Par conséquent, si nous restons tels que nous sommes, aussi bien pudiques et réservés qu'enthousiastes, curieux, ambitieux, joyeux et quelquefois débridés, toutes ces caractéristiques se retrouvent dans notre façon d'être sexuel, surtout lorsque nous désirons nous abandonner à la volupté sensuelle.

Chez la femme

La femme a deux façons d'exprimer son désir sexuel et son degré d'excitation. Elle peut choisir d'être la *madone,* très réservée, souhaitant des positions sexuelles où le contact visuel est très intense, la lumière tamisée, avec échange de caresses, de mots d'amour et une intensité de sentiment sans rien de cochon ni de pervers. Une *madone* ne visite pas de sex-shops et ne regarde pas de films pornographiques.

Pour elle, la sexualité est sage et pudique, sous les couvertures, avec une pénétration qui symbolise et exprime tout l'amour ressenti par le conjoint: c'est presque un geste sacré, l'intromission se veut respectueuse, avec un rythme lent, doux et tendre. La madone ne recherche pas de relation sexuelle fréquente, elle préfère que son partenaire fasse les avances, avec de longs préliminaires qui pourraient très bien la satisfaire.

Dans sa façon de voir, la sexualité a un autre but: la reproduction. D'ailleurs, elle est comblée par son futur ou actuel rôle de mère; tout acquiert un sens par le «prendre charge et prendre soin». Donc, elle est entièrement satisfaite par une nuit de tendresse, sans pénétration ni éjaculation du partenaire. Ce n'est pas important. Elle est heureuse dans sa vie de couple et considère comme dépravées les femmes sexy et provocantes. Elle ne comprend pas leur désir sexuel inassouvi. À ses yeux, elles font partie d'un autre monde. Ses oreilles sont chastes et pures, elle est digne et, dans son travail, elle n'entretient pas de lien fraternel avec les autres hommes. Elle n'est pas vraiment une femme sur son lieu de travail, elle est plutôt asexuée.

Elle ne reconnaît pas son pouvoir de séduction, et encore moins toutes les formes possibles d'orgasmes. Habituellement, elle ne pratique pas la masturbation, puisqu'elle préfère être stimulée par son partenaire. Son appétit sexuel a été éveillé et est actuellement entretenu par l'autre. À son avis, la satisfaction sexuelle dépend de l'intensité romantique. Ses fantasmes sont amoureux, relationnels et romanesques!

Si elle ne se permet pas de découvrir l'autre univers génital, elle risque d'être aux prises avec la monotonie sexuelle et de subir une baisse de désir ainsi que des perturbations de l'excitation sexuelle, car, incapable de lubrifier suffisamment ou même de constater des contractions involontaires des muscles vaginaux, elle n'accepte pas d'être pénétrée si son partenaire ne lui a pas d'abord manifesté assez d'amour.

L'autre pôle, c'est l'*antimadone*: une femme entièrement dématernalisée, réduite à un objet de pure érotisation. Putain, cochonne, perverse et nymphomane, sa quête ultime et vitale, son cheval de bataille est le plaisir sexuel. Elle est en mesure de faire des propositions sexuelles, d'avoir l'initiative d'une rencontre sensuelle et de pleinement participer à cet échange suave! La sexualité, pour elle, n'est pas banale: elle est diversifiée, moderne et surtout jouissive. Elle est curieuse et innovatrice dans ses pratiques et positions sexuelles. Bien que l'amour compte, il n'est pas l'acteur principal de cette pièce de théâtre.

Elle fait fi du romantisme et se préoccupe peu du contact visuel lors des échanges, à moins qu'il ne soit carrément cochon. Elle a une bouche avide et gloutonne qui savoure et déguste chaque instant; complètement excitée, elle se laisse aller à ses impulsions, son univers fantasmatique regorge de scénarios tous aussi «charmants» (!) les uns que les autres.

Elle est parfaitement à l'aise avec son propre plaisir. D'ailleurs, elle n'hésite pas à se le procurer seule ou lors d'une rencontre intime avec son partenaire. Le regard de l'autre la stimule et l'enchante; il contribue à la rendre encore plus sexuelle.

L'*antimadone* n'éprouve pas de dysfonctions sexuelles, à part quelques irritations vaginales dues à des pénétrations plus intenses et vigoureuses où elle risque, dans certains cas, de contracter des MTS... avec des partenaires multiples! Le mot d'ordre est la liberté et l'absence de contraintes sexuelles: elle ne se limite pas. Ses positions préférées sont celles où elle est à la fois en contrôle et contrôlée, qu'il y ait contact visuel ou non.

Elle érotise l'agressivité phallique[1] de l'homme dans toute la puissance virile et par une pénétration profonde et intense. Son vagin lubrifie aisément, voire même instantanément. Ses fantasmes la nourrissent, et elle tente de les actualiser le plus possible.

Toutes les femmes ont une *antimadone* qui sommeille en elles et qui ne demande qu'à être mise au monde pour s'épanouir dans la vie.

La richesse d'une sexualité saine et épanouissante est la juxtaposition de deux personnages.

Ce sont comme deux reines, une blanche et une noire. Être à la fois *madone* et *antimadone* permet d'«assaisonner» sa vie relationnelle et sexuelle. Ou bien, comme le dit la publicité des céréales, «vous avez un côté nutritif et un autre côté sucré».

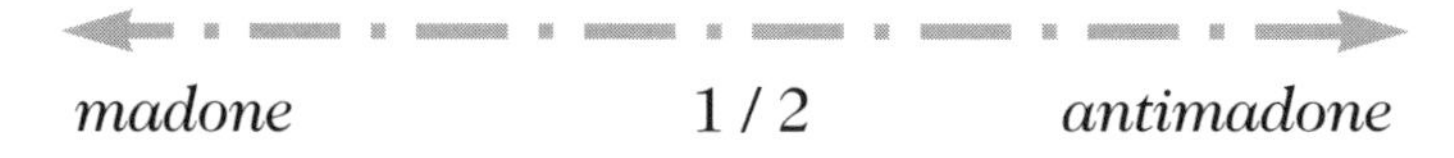

madone 1 / 2 *antimadone*

C'est comme un continuum. À une extrémité, il y a la *madone* pure et, à l'autre, l'*antimadone*. La position centrale est la moyenne, ou un

1. L'agressivité phallique correspond à la domination intra et intersexuelle. Elle symbolise la force et la puissance virile. Elle agit à titre de fonction masculinisante.

«pseudo-équilibre sexuel» qui se veut un doux mélange des deux. Mais il est plus réaliste d'affirmer que votre position se situe entre la pure *madone* et la moyenne, ou entre la pure *antimadone* et la moyenne. Vous n'avez qu'à vérifier vers quelle tendance de l'érotisme féminin vous êtes attirées. Quelle est celle qui vous influence davantage? La sexualité dépend du contexte.

Tendre vers l'*antimadone* ou la *madone* dépend en grande partie de ce que vous êtes en train de vivre et au plaisir que vous prenez à le vivre. Que ce soit votre partenaire actuel, votre qualité de vie, l'intensité de votre libido ou tout simplement le goût du jour…

L'on n'est jamais toute l'une ou toute l'autre. Mais la plupart des dysfonctions sexuelles représentent un problème d'accession au plaisir: elles existent comme un blocage. La clé du succès est entre vos mains. Il ne tient qu'à vous de lever la barrière du contrôle pour laisser émerger la permission.

Chez l'homme

Les hommes aussi possèdent deux volets à leur être sexuel. L'un est le *berger*. Dépourvu de toute forme de virilité masculine, il est le supportant, l'aidant naturel, le bon gars, celui qui dit souvent «ça ne me dérange pas», qui a de la difficulté à s'affirmer et surtout à dominer. Il est un bon deuxième.

Il a une initiative sexuelle très médiocre, voire même déficiente, il fait très rarement des avances. Le désir sexuel de sa conjointe est considéré comme hors de proportion! Il se voit constamment en arrière-plan par rapport à elle; malgré tout, il adore les rapprochements affectifs, les accolades, et il laisse facilement émerger l'enfant qui sommeille en lui grâce à son côté «bébé». Il se laisse émerveiller par l'instant présent et s'applique dans ses tâches quotidiennes. Le *berger* prend soin de son jardin intérieur. Il va généralement jusqu'au bout des choses.

D'une grande gentillesse, son mot d'ordre et sa valeur sûre sont sans aucun doute le respect. La femme est très précieuse à ses yeux. Il la considère comme une partenaire de vie, marchant main dans la main dans la même direction. La notion de continuité et de prévisibilité est cruciale à ses yeux. Il se réjouit déjà à l'idée de devenir un excellent père de famille, afin de chouchouter ses enfants.

Bien qu'il semble s'amuser dans la vie… attention! Pour lui, la vie est «un long fleuve tranquille». Il se laisse bercer par la douceur et n'apprécie pas les soubresauts impromptus. Il aime se coucher sur sa partenaire pour la regarder et saisir tout l'amour qu'elle lui porte.

La pénétration n'est pas son but ultime, car si elle est trop précipitée, elle risque d'illustrer un manque de respect envers sa femme. La sexualité est synonyme de rythme: de lent à moyennement lent… pour prendre le temps de déguster chaque minute précieuse en si charmante compagnie! Les heures de massage ne l'effraient pas, pas plus qu'aller au rythme d'une sensualité innocente en prenant un bain avec sa douce. Il apprécie les positions sexuelles où le contact visuel est présent. Son imaginaire érotique est plutôt à contenu romantique et il se masturbe peu. Le *berger* ne démontre aucune agressivité phallique. Il est altruiste dans sa sexualité, le plaisir sexuel de sa partenaire passe avant tout… et avant lui! À son avis, son pénis n'est nullement pénétrant, en ce sens qu'il ne ressent pas la nécessité de pénétrer.

Il peut former un couple «fonctionnel» avec une femme souffrant de dyspareunie (douleur lors de la pénétration) ou de vaginisme (contraction involontaire des muscles vaginaux empêchant la pénétration). Car avoir ou non un pénis n'indique aucune différence. Il ne définit pas sa masculinité en fonction de sa verge, ni de la durée de son érection; cela lui cause fréquemment des troubles érectiles, c'est-à-dire une incapacité à maintenir une érection ou encore atteindre une rigidité suffisante pour pénétrer.

Une publicité récente, promouvant l'achat d'un véhicule, traitait du thème de la virilité masculine.

La publicité représentait différents types d'hommes virils et le choix de leur automobile. Bien entendu, la voiture sport figurait en tête de liste, mais en bout de ligne, on pouvait voir un père de famille avec ses quatre enfants dans une fourgonnette. Le message publicitaire disait: «Ça c'est de la vraie virilité!» Je dirais même plus: «Ça, c'est l'image du *berger*!»

Dans certains cas, il n'a pas conscience de l'ampleur ou de l'intensité de son désir sexuel, puisqu'il se maintient dans une paix sexuelle tranquille et stable. N'allant jamais au-delà de ses possibilités, car un *berger* ne se préoccupe ni de se prouesses sexuelles, ni ne se surpasse. La routine sexuelle le guette ou a déjà envahi son univers. Ce qui empêche l'expression de son désir sexuel, une fois de plus.

Le second pôle est le *cow-boy*. Le James Bond ou le Lucky Luke du sexe! Il fait cavalier seul en ayant «l'avantage des voyages sans s'engager»! Son pénis est l'instrument majeur de toutes les rencontres sexuelles. Il le guide à travers ses croisades. Rien ne le limite. Il est de nature égoïste sexuellement, sachant qu'il est un très bon baiseur de nature.

Il apprécie une partenaire participante qui prend goût au plaisir sexuel qu'il lui procure. Il déploie tel un paon toute son agressivité phallique. Il est viril et il compte bien le rester. C'est sa marque de commerce. Il a une sexualité dépourvue de romantisme et d'engagement, préférant la variété et les partenaires multiples. Il ne se gêne pas pour exprimer ses besoins sexuels. Il apprécie regarder sa partenaire soumise alors qu'il est le dominant, à travers diverses positions sexuelles.

Dans la vie de tous les jours, il démontre une grande indépendance et l'avenir l'effraie peu. Il choisit une carrière stimulante qui le place devant divers défis. C'est un leader, un modèle de fougue et un batailleur. Il démontre une agressivité d'affirmation et de domination. Il vit une rivalité intrasexuelle, c'est-à-dire qu'il perçoit les autres hommes comme des rivaux. Il entretient donc la compétition à travers la virilité et ne se gêne pas pour se servir du sarcasme.

Il sait explorer tous ses sens lors d'une rencontre sexuelle. Il aime spécialement le toucher et le goût. Avec l'un, il peut découvrir des zones encore inexplorées; avec l'autre, il mordille à pleines dents le jardin épidermique de sa partenaire. Il dévore, griffe, goûte et lèche chaque partie de l'anatomie.

Pour le *cow-boy*, la longueur de son érection est très significative. D'ailleurs, il n'éprouve pas de difficulté à atteindre une érection, car ses fantasmes lui seyent à fleur de peau. Ils peuvent être orgiaques, triolistes, échangistes, oraux, exhibitionnistes ou voyeuristes. La seule chose qui le guette est la paraphilie ou la déviance sexuelle!

S'il est de nature pressée, l'éjaculation rapide peut frapper à sa porte. Par contre, il a des ressources inépuisables d'imagination et sa passion est constamment renouvelée. La routine sexuelle? Connaît pas! Il prend plaisir à diverses formes de sexualité et se procure régulièrement, voire même quotidiennement, son plaisir et n'hésite pas à le faire devant sa partenaire, ou lui parler de ses pratiques masturbatoires. Il communique aisément ses fantasmes et a des rêves à contenu érotique. Il lui arrive de regarder du matériel pornographique et de s'amuser avec des objets sexuels.

Encore une fois, l'homme n'appartient jamais à une catégorie à part entière. Certains jours oui, et d'autres non. Observez à nouveau le continuum.

berger 1 / 2 *cow-boy*

La moyenne n'est pas un modèle à atteindre pour accéder à une maturité sexuelle et à des activités sensuelles saines. Loin de là! Vous aurez sûrement tendance à vous situer entre le pur *berger* et la moyenne, ou entre le pur *cow-boy* et la moyenne. Vous avez vos moments de tendresse et vos pulsions aussi! Des moments où vous êtes actifs, alors qu'à d'autres, vous êtes passifs. Des journées, vous êtes pénétrants et d'autres non.

Laissez-vous imprégner par vos désirs et votre plaisir en passant d'un univers à l'autre. Les deux aspects sont très sains, ils se vivent parfaitement bien, selon vos attentes et vos besoins. Songez aux nombreux tests ou questionnaires où vous devez répondre «vrai» ou «faux». C'est plus que difficile de se cataloguer, car il y a toujours des nuances. Vous avez peut-être aussi des éléments très forts de l'un et assez forts de l'autre.

Imaginez un chien dalmatien avec du blanc (*berger*) et des taches noires (*cow-boy*). Jamais ce chien ne deviendra gris.

Prenez plaisir à vous découvrir et jouez le jeu avec votre partenaire. Serait-ce une *madone* qu'il vous faut? Ou fantasmez-vous de finir vos jours avec une *antimadone*? Vous, mesdames, le *cow-boy* vous fait-il jouir? Le *berger* vous fait-il davantage vibrer? Laissez-vous tenter et suivez votre instinct!

CHAPITRE 2

Nos «idées noires» sur la sexualité

Des idées néfastes à éliminer afin de développer des pensées plus réalistes et optimistes

Ce que vous pensez est directement lié à vos sensations. Puisque le plaisir sexuel passe d'abord par l'esprit, il faut être libéré de ses bibittes! Vous êtes portés à ressentir ce que vous pensez. Pour ces raisons, je tenterai, dans ce chapitre, de vous aider à:

- comprendre vos humeurs;
- écouter votre petite voix intérieure qui envoie des messages pas toujours joyeux;
- déceler vos peurs, appréhensions et prévisions d'échecs sexuels.

Je vous propose également:

- des trucs et moyens pratiques pour reconnaître vos fausses croyances sexuelles, à travers les idées noires des hommes et celles des femmes;
- de nouvelles idées positives à adopter;
- ce qu'un sexologue peut faire pour «soigner» vos mauvaises idées.

Votre définition de la féminité et de la masculinité, vos réflexions au sujet de l'identité sexuelle et votre conception des relations interpersonnelles influencent vos rapports amoureux, conjugaux et sexuels. C'est pourquoi vous êtes en mesure de vous comparer à la *madone/antimadone* ou au *berger/cow-boy*, avec les nuances nécessaires. Cette démarche intellectualisée, direz-vous, guidera vos interactions avec votre partenaire et les émotions que vous éprouvez à son égard.

J'ai reçu un client qui s'investissait énormément dans ses relations amoureuses en offrant beaucoup, sans se limiter, ce qui pouvait effrayer ses partenaires.

Je l'ai interrogé sur la pertinence de donner autant et d'où lui venait sa conception des relations. J'ai confronté une de ses *fausses croyances*: **il n'est pas essentiel à tout prix de s'investir au plus haut point.**

Je me suis aperçue que la façon dont il concevait ses relations avec les femmes était fortement biaisée. Or, il était malheureux parce qu'incapable de trouver une femme prête à s'investir autant que lui dans une relation. Sa fausse croyance était donc à la base de sa peine et de sa souffrance.

Je lui ai proposé *d'être son propre témoin,* c'est-à-dire *d'écouter sa petite voix intérieure,* qui est souvent néfaste pour nous-mêmes. L'écouter en vue de la confronter. Avez-vous déjà pris le temps de vous écouter penser? D'essayer de comprendre pourquoi vous avez certaines idées saugrenues? Avez-vous pensé que vos idées vous empêchent de vous épanouir dans la vie et sur le plan sexuel?

Ces idées se nomment des *cognitions*. Elles représentent nos pensées, notre façon de voir la vie, de comprendre les choses et la sexualité, d'analyser les phénomènes et nos comportements sexuels. C'est comme un discours que chacun se tient dans sa tête au cours de la journée. Ces pensées sont aussi quelquefois inadéquates, influencées bien souvent par des modèles parentaux ou de fausses valeurs véhiculées par la culture. Les *attitudes* et les *croyances* renvoient, quant à elles, à des façons de penser, à des préjugés ou stéréotypes qui filtrent les informations, les interprètent selon un angle bien particulier.

Le domaine de la sexualité est propice à l'élaboration de telles attitudes et croyances. Il y a des multitudes d'idées irrationnelles, mauvaises et malsaines qui demandent à être changées. Ces idées sont à expulser sur tous les plans relationnels. Par exemple:

J'ai absolument besoin d'être aimé et approuvé par toutes les personnes de mon entourage pour presque tout ce que je fais... sexuellement aussi!

Cette idée pourrait devenir celle-ci:

Je n'ai pas besoin d'être aimé et approuvé par qui que ce soit, et quoi que je fasse!

Le but sous-jacent est de regagner confiance en ses propres capacités et d'enrayer le «absolument besoin», qui est dévastateur, puisqu'il correspond à une obligation. Nous n'avons pas à être confronté à un «absolument besoin», à un «il faut» ou à un «je dois».

On s'emprisonne ainsi dans un carcan de principes beaucoup trop rigides qui ne laissent aucune place à la souplesse, qui ne donnent donc pas accès à une plaisante liberté sexuelle.

«*J'ai absolument besoin* de satisfaire ma partenaire, *il faut* que j'atteigne un orgasme, *je dois* être performant au lit!»: voilà des phrases inutiles, puisque la sexualité n'est pas une obligation ni un *ring* de boxe où l'on se doit de combattre son adversaire, ni un cours universitaire au terme duquel un examen pénible et angoissant nous attend! Au contraire!

La sexualité est un univers de plaisir, de détente et de découverte! Aucune loi (sauf dans l'esprit de l'individu) ne prescrit que la personne *doive* obtenir ce qu'elle désire. Vous comprendrez que cela entraîne une obligation absolue.

Une autre idée néfaste:

«Je *dois* réussir *parfaitement* tout ce que j'entreprends.»
(Comme réussir toute forme de pénétration, ou contribuer à procurer un orgasme à son partenaire.)

Ce qui se cache derrière ces phrases est:

- une énorme pression;
- une obligation;
- une non-liberté d'être et d'agir.

Cette idée peut survenir avant ou pendant une activité sexuelle. Trop se fixer sur cette idée nous empêche d'avoir une emprise sur la réalité. Nous sommes dans notre tête, notre monde intérieur, notre univers morbide et générateur d'angoisse: nous ne sommes plus dans la relation, ni dans notre corps.

Afin de rendre cette conception erronée plus convenable, on peut tout simplement se dire ceci:

«Je ne peux pas réussir parfaitement quelque chose, je reconnais avoir des forces et aussi des limites que j'accepte et que je peux donc surpasser un jour.»

Reconnaître ses limites est une force! Par la même occasion, c'est se permettre le droit à l'erreur. En vérité, vous êtes en mesure d'agir adéquatement dans vos relations sexuelles lorsque vous faites en sorte d'aimer les caresses que vous prodiguez autant que celles que vous recevez. Il faut saisir la richesse de l'instant présent, en se montrant authentique avec son partenaire.

S'il le faut, demandez-lui des suggestions pour amplifier son plaisir sexuel, il est là pour vous guider. Vouloir apprendre est primordial dans la vie et dans la rencontre sexuelle!

Si, au contraire, vous êtes angoissé, si vous croyez que les choses ne vont pas comme vous le souhaiteriez, cela devient *terrible, horrible, catastrophique et insupportable.* Regardez combien ces mots ont une sérieuse portée, et imaginez les échecs sexuels qui vous guettent comme l'impuissance, une panne de désir, une éjaculation rapide, un problème de lubrification, une anorgasmie ou une anéjaculation. Ces mots influencent votre spontanéité sexuelle.

L'impact dans la vie de couple est considérable, car vos pensées négatives vous absorbent. Il est insensé de s'imposer de telles pressions avec des adjectifs hors de proportion (*terrible, horrible*...). Cette pensée a ses conséquences sur notre identité sexuelle: la vision que nous avons de nous-même. «*Je ne suis pas bon comme homme, je ne vaux rien comme femme!*» Ou encore: «*J'ai eu des ratés, donc je ne suis pas bon sexuellement et ma relation ira à la dérive.*» L'estime de soi est détruite. Tentez plutôt de vous observer et de vous questionner sur *pourquoi* et le sens qui se cache derrière une situation aussi *horrible et terrible*... Remplacez votre angoisse par une idée plus réaliste telle que:

«Les vraies *catastrophes* n'existent que dans mon esprit. J'en fais une construction, la réalité est tout autre.»

Une autre idée entretenue par bien des gens est celle-ci:

«Les circonstances extérieures causent notre bonheur ou notre malheur et *nous ne pouvons rien faire* contre elles.»

Ceci est faux, car nous *choisissons* d'être affectés ou non par des faits de nature psychologique. Nous *choisissons* nos réactions émotives.

Nos manières biaisées de penser et de concevoir la sexualité, nos relations, les autres et nous-mêmes se regroupent en catégories.

L'exagération, la dramatisation et la minimisation

Exagération, dramatisation et minimisation amplifient l'importance de certaines choses, comme nos erreurs sexuelles, de comportements, de communication, ou les succès de quelqu'un d'autre, en leur accordant une valeur démesurée et en leur attribuant un caractère cauchemardesque. De plus, elles relèguent au second plan d'autres choses, jusqu'à ce qu'elles nous semblent toutes petites, comme nos qualités, nos forces, notre confiance et notre capacité d'affirmation.

LES EXPRESSIONS *JE DOIS* ET *JE DEVRAIS*

Ces expressions enclenchent automatiquement une extrême culpabilité, car ils supposent notre manque de responsabilité antérieur. Surtout si on les attribue aussi à autrui: *ils doivent, ils devraient.*

Les répercussions se feront sentir au niveau du couple, surtout si l'un se dit que l'autre *devrait* comprendre, que l'autre *devrait* susciter son désir, *devrait* le satisfaire, qu'avec le temps il *devrait* savoir comment le caresser pour qu'il atteigne un orgasme… Vous éveillez ainsi des sentiments de colère, de frustration ainsi que du ressentiment envers vous-même et envers l'autre. Votre partenaire ne possède pas une boule de crystal pour tout comprendre.

N'essayez pas de vous motiver en vous disant: «*Je dois initier une relation sexuelle, il me semble que c'est à mon tour.*» Vous vous bousculez à forcer l'action, vous vous obligez à agir, ce qui vous indispose et, paradoxalement, vous fait perdre votre motivation. Les «je dois» et les «je devrais» sont la cause de bien des crises émotives inutiles dans votre vie relationnelle et sexuelle.

«JE M'EN FAIS AVEC TOUT ET AVEC RIEN!»: LA *PERSONNALISATION*

Vous acceptez et subissez les conséquences d'un fâcheux événement dont vous n'êtes pas le principal responsable. Comme par exemple:

- s'attribuer un malaise sexuel;
- s'attribuer le déclenchement d'une dispute;
- s'attribuer la cause de la frustration de l'autre;
- s'attribuer l'inconfort dans le couple;
- s'attribuer la mauvaise humeur du partenaire;
- s'attribuer une indifférence ou un malentendu.

Se rendre responsable *de tout* engendre un sentiment de culpabilité, une baisse de la capacité d'affirmation et de la confiance en soi. Bref, cela vous paralyse comme personne, en faisant de vous un infirme; vous êtes écrasé par la responsabilité que vous vous mettez sur les épaules: c'est la distorsion la plus fréquemment rencontrée en thérapie sexuelle.

LA GÉNÉRALISATION EXCESSIVE

À partir d'un seul événement malheureux, l'étendre à toutes les situations possibles, tel un cycle d'échec sans fin. Exemple: une femme qui ressent des douleurs lors de la pénétration se dit: «Je vais toujours éprouver des douleurs à chaque relation sexuelle.» Un homme de m'avouer: «À chaque fois que j'invite une femme à sortir, elle refuse, je me dit que je n'ai donc rien d'intéressant puisqu'elle refuse, et toutes les autres refuseront aussi, j'en suis sûr. Je n'arriverai jamais à sortir avec quelqu'un.» Il conclut qu'une chose arrivée une fois lui arrivera sans cesse toute sa vie. Il éprouve donc un terrible sentiment de rejet. Étant donné qu'il généralise à outrance, il n'accède jamais au plaisir d'une nouvelle conquête, avec la fébrilité et la curiosité qui l'accompagnent.

LE «TOUT OU RIEN»: LA *PENSÉE DICHOTOMIQUE* (OU POLARISÉE)

C'est le *un succès incomplet* ou *un échec complet.* Si une femme demande à son conjoint de stimuler son clitoris autrement, il pourrait croire qu'il a échoué à la satisfaire ou qu'elle n'est jamais contente. Même chose pour un homme, s'il demande à sa femme de lui faire une fellation d'une autre manière. Celle-ci pourrait se sentir discréditée sans s'en rendre compte, car quoi qu'elle fasse, elle croit ne plus pouvoir parvenir à satisfaire les attentes de son mari. Un autre client me dit: «Je suis un zéro de confiance.»

Sachez que la vie est rarement blanche ou noire, tout comme vous n'êtes jamais complètement *madone / antimadone* ou *berger / cow-boy.* Personne n'est entièrement beau ou génial, ou entièrement laid et stupide. Si vous pensez ainsi, aucune nuance n'existe pour vous. *Pourtant, la sexualité est le lieu de plusieurs gammes de sensations et de stimulations.*

«Je pense qu'il(elle) pense que...»: La lecture des pensées d'autrui

Croyez-vous en vos dons magiques de lire les pensées de l'autre sans qu'il n'ait besoin de les exprimer verbalement? Exemple: «Il pense sûrement que je suis une dépendante affective.» Vous émettez l'hypothèse que l'autre vous scrute et vous analyse de façon méprisante, et vous en êtes si convaincu que vous ne prenez même pas la peine de vérifier votre supposition.

Imaginez que votre conjointe ne réponde pas automatiquement à vos avances sexuelles, parce qu'elle a dû subir des reproches au travail. Vous vous inquiétez donc de son piètre niveau de désir sexuel, et tout s'écroule autour de vous; vous analysez son indifférence en croyant qu'elle est en colère contre vous. «Qu'ai-je donc fait de mal?» Allez tout simplement vérifier auprès d'elle au lieu de répondre à sa place!

Il existe également des *mythes sexuels* qu'il est impératif de changer.

Il est faux de croire que...

1. Tout contact physique érotique *doit* se terminer par une pénétration.
2. L'homme *sait* de façon instinctive *comment* être compétent lors des relations sexuelles.

3. La sexualité *exige* toujours une érection.
4. L'homme *est toujours* consentant et prêt à avoir une activité sexuelle.
5. Les autres couples ont des relations sexuelles *plusieurs fois par semaine.*
6. Ces couples connaissent l'orgasme *à tout coup.*
7. Si *ça va mal dans la sexualité*, ça veut dire que *le couple ne va pas bien.*
8. Les vrais hommes n'ont *pas besoin d'exprimer* leurs sentiments ni de communiquer; c'est une *affaire de femmes.*
9. Pour prouver sa masculinité, un «vrai homme» *performe* au cours de la sexualité.
10. *Sexe = pénis dur et qui fonctionne* dans l'action.
11. *Sexe = pénétration.*
12. Un bon amant est celui qui procure une *expérience époustouflante* à sa partenaire et il est *seul responsable* de son plaisir.
13. Une expérience sexuelle satisfaisante *nécessite* un orgasme.
14. Les hommes n'ont *pas besoin d'écouter* les femmes pendant l'acte sexuel. Même si elles *disent non*, elles *peuvent vouloir dire oui.*
15. Une expérience sexuelle satisfaisante est spontanée, sans planification, ni communication.
16. Les «vrais hommes» n'ont pas de problèmes sexuels.

17. *Tout le monde à part moi* est libéré et à l'aise avec sa sexualité.
18. Le nombre et la qualité de mes relations sexuelles quotidiennes, hebdomadaires ou mensuelles deviennent la mesure par laquelle j'évalue l'amour de mon partenaire pour moi (et le succès de mes relations amoureuses). *Si un homme m'aime, il est censé me l'exprimer physiquement avec passion et souvent.*
19. Puisque je ne vis pas avec un homme, faire l'amour implique un engagement émotionnel. Si je fais l'amour avec un homme, *il est censé* me rappeler.
20. Lorsqu'ils choisissent leur compagne, les hommes *sont censés* accorder une importance capitale à l'apparence de celle-di. *J'ai donc besoin de l'attention d'un homme pour me rassurer sur mon apparence.*
21. *Le sexe est censé être aussi essentiel qu'une bonne alimentation à la santé physique et mentale.* Avoir un homme dans ma vie est donc aussi important qu'avoir des provisions dans le garde-manger.

Vous avez peut-être déjà dit certains de ces énoncés et vous y avez cru sans vous en rendre compte. Cependant, derrière chacune de ces présomptions se cache un danger. J'ai d'ailleurs tenu à le mettre en relief à l'aide d'italiques dans certaines phrases. Ces mots supposent une pression à très bien agir, de sorte que *le droit à l'erreur* n'existe pas.

Personne ne peut savoir de façon instinctive comment l'autre assume sa sexualité. Nous ne sommes pas venus au monde avec le don de savoir où et quand toucher pour déclencher une avalanche de plaisirs à notre partenaire. L'illogisme est flagrant. Ces pensées sont déviantes et très dysfonctionnelles pour parvenir au plaisir sexuel. Vous vous bloquez, en empêchant le philtre de la permissivité et de l'abandon de couler. Ces énoncés entraînent de l'anxiété, de la déception et de la tristesse.

Bien souvent, les gens répètent machinalement ces fausses croyances, comme si c'était leurs valeurs sexuelles. Il existe un moyen très simple et efficace pour arrêter ce cercle vicieux. Il s'agit de confronter ses idées afin d'en douter. Et de s'efforcer «d'être le propre témoin» de ses pensées. Pour y réussir, l'outil nécessaire consiste en une grille d'observation en quatre points: A, B, C, D. Prenez une feuille et tracez quatres colonnes. Vous pourrez noter chaque jour ou chaque semaine, lorsque nécessaire, vos inquiétudes et ce qui vous tourmente à ce moment-là. Le geste de l'écriture amène une clarté de pensée. Vos idées ne sont plus dans votre tête, elles sont sur le papier. Prêtes à être confrontées et remises en question!

Grille d'observation

A	B	C	D
Événement qui entraîne un bouleversement	*Croyances (pensées, idées, jugements et principes)*	*Expérimenter les conséquences, par les émotions.*	*Confronter nos fausses croyances*
Juste avant la pénétration, l'homme perd son érection en installant un condom.	S'imagine être un homme fini, car «les vrais hommes n'ont pas de problèmes sexuels» et «il faut absolument avoir une érection pour avoir une relation sexuelle».	Est troublé, confus, anxieux, paniqué, craintif, peureux (comment la femme va-t-elle le percevoir?).	• Pourquoi serait-ce catastrophique si… • Pourquoi faudrait-il que je réussisse? • Comment cet échec sexuel me détruirait-il? • Pourquoi ne pourrais-je pas supporter cet échec?

Après avoir fait cette démarche, vous pouvez rajouter une colonne «E» et trouver des moyens et des solutions. Est-il inscrit sur la pochette du condom que tous les hommes maintiennent leur érection en l'installant? Non! Utilisez l'humour lors de vos relations sexuelles, car il n'y a rien de catastrophique à perdre son érection. Plus vous êtes stressé, moins vous êtes en mesure de retrouver votre rigidité pénienne. Dites-vous que c'est le moment de revenir sur le plaisir d'être à deux et sur ce qui vous exciterait à ce moment-là. Changez de poste et branchez-vous sur des idées positives.

Si l'individu confronte ses idées déraisonnables, il constatera qu'elles sont invérifiables, irréalistes et néfastes pour lui. Il sera en mesure de les changer, et cela le ramènera à la réalité. Il faut apprendre à penser autrement.

La thérapie sexuelle vise la confrontation d'idées, mais elle analyse aussi les réactions émotives qui se rattachent aux fausses croyances.

Cette démarche demande du temps, car un changement n'apparaît jamais soudainement. Le rythme de chacun est à respecter. Se départir d'un automatisme n'est pas une chose simple. Mais comprendre que *ce que vous pensez peut vous nuire*, comme, par exemple: «Je ne réussis à plaire à personne!» ou: «Que va-t-elle penser si je dis cela?» Voilà déjà un pas dans la bonne direction.

Être à la conquête du plaisir sexuel, relationnel, amoureux et conjugal, c'est aussi être à la conquête de notre façon de construire nos pensées.

Cette façon peut très certainement être plus saine! Regardez-vous aller et agir; tentez de douter de vous, comme si vous étiez votre propre «bon parent». Posez-vous ces questions:

- Comment se fait-il que je pense ainsi?
- D'où cela peut-il provenir?
- Qui m'a inculqué ces idées?

Un autre outil pour vous permettre d'identifier vos cognitions consiste à inscrire sur quatre colonnes les éléments suivants:

- la date;
- la situation;
- l'émotion;
- la stratégie pour se couper de l'émotion.

Qu'est-ce que cela m'apporte de penser ainsi? Rien! Alors pourquoi continuer à répéter de telles idées?

Même si plusieurs de vos distorsions cognitives proviennent de votre milieu familial, vous seul décidez de les garder dans votre tête. La sexualité est un lieu d'apprentissage, comme un laboratoire: réussites et erreurs!

Se libérer l'esprit de notre nuisible petite voix intérieure influencera notre capacité de sortir du cocon, afin de nous épanouir dans nos activités sexuelles!

CHAPITRE 3

L'estime de soi: Le premier pas vers le plaisir

S'estimer c'est s'aimer! Voilà pourquoi *l'estime de soi* est de plus en plus appelée *amour de soi*.

L'estime de soi est cette petite flamme qui fait briller notre regard lorsqu'on est fier de soi!

Être fier de soi, c'est arrêter de s'en remettre à de fausses croyances et se donner le droit à l'erreur. Bien des gens ne saisissent pas la différence entre l'estime de soi et la confiance en soi. La première signifie évaluer sa propre valeur. La seconde existe quand on répète une activité qui a réussi dans le passé.

Par exemple: je suis confiante pour faire un massage à ma partenaire, puisqu'il y a deux semaines je lui en ai fait un qu'elle a grandement apprécié. J'ai donc confiance en mes capacités «tactiles» actuelles, car mon expérience passée fut couronnée de succès. Cette précision étant faite, vous comprendrez que l'estime est la reconnaissance de sa valeur d'être humain.

S'estimer permet d'être plus confiant et détendu lors d'une activité sexuelle. S'estimer permet aussi de faire de meilleurs choix, d'exprimer plus adéquatement ses besoins et de *mieux choisir son partenaire de vie*!

On peut évaluer sa propre estime selon huit catégories:

1. Le succès dans mes compétences

cognitives

- Étais-je un étudiant performant à l'école?
- Avais-je du talent pour apprendre?
- Quels étaient mes résultats scolaires?

professionnelles

- Suis-je satisfait de mon rendement au travail?
- Puis-je atteindre mes objectifs fixés au départ?
- Suis-je dans un milieu de travail privilégié?
- Quelle est la personnalité de mon patron?
- Sa personnalité est-elle compatible avec la mienne?
- À quand remonte ma dernière évaluation? Quels en sont les critères? Suis-je fort dans un? Puis-je m'améliorer dans un autre?
- Est-ce que je mets mes limites en n'acceptant pas trop d'heures supplémentaires?
- Suis-je en mesure de m'affirmer au travail?
- Est-ce que je recherche de nouveaux défis à l'intérieur de mon travail?
- Suis-je plus compétent que la moyenne?

financières

- Suis-je en mesure d'épargner?
- Ai-je fait de judicieux placements?
- Est-ce que j'administre convenablement le budget personnel ou familial?
- *Réflexion*: Est-il plus important pour moi d'avoir un travail que j'aime qui paie moins qu'un travail qui paie plus, mais qui ne me procure aucune satisfaction?

2. L'apparence physique.

- Est-ce que j'aime mon corps?
- Ai-je un certain charme? Une certaine beauté?
- Est-ce que j'aime porter des vêtements qui me différencient des autres?
- Est-ce que je me considère comme une personne bien dans sa peau?
- *Réflexion*: Comment je perçois mon corps selon:
  - l'hygiène personnelle (le savon que l'on utilise, le shampooing, les visites chez le dentiste, mes pieds...);
  - ma musculature;
  - mon ossature;
  - la texture de mon épiderme;
  - ma pilosité;
  - la grossesse;
  - la ménopause;
  - les cicatrices;
  - les grains de beauté.

- Me suis-je déjà regardé dans le miroir de haut en bas, habillé ou nu?
- Y-a-t-il des parties que j'aime? (cela correspond directement à l'érotisme)

3. Le fonctionnement social

- Est-ce que mon cercle d'amis est grand?
- Ai-je de la facilité à me faire des amis?
- Ai-je des amis sur qui je peux compter?
- Ai-je pris le temps de bien les choisir?
- Suis-je d'agréable compagnie?
- Ai-je déjà fait du bénévolat?
- Puis-je participer à un groupe ou un loisir quelconque qui soit valorisant et sécurisant pour moi?
- Suis-je facilement intimidé par une personne agressive?
- M'arrive-t-il parfois de prendre l'initiative de rencontrer de nouvelles personnes dans un contexte social?

4. Le fonctionnement affectif

- Ai-je un sentiment d'appartenance à un groupe familial et conjugal?
- Est-ce que j'interagis de façon adéquate et plaisante avec mes proches?
- Mon partenaire est-il à ma hauteur? Ai-je fait le bon choix?
- Est-ce que le mot *désir* signifie pour moi *délices*?

- Est-ce que je me permets de fantasmer pour augmenter mon désir et être plus ouvert à mon partenaire?
- Est-ce que je me permets de séduire et de cultiver l'art de plaire dans mon couple?
- Est-ce que j'ose me *dévoiler* à travers une communication adéquate?
- Est-ce que j'ose exprimer mes besoins sexuels?

5. La personnalité / L'identité

- Est-ce que je me connais suffisamment?
- Est-ce que je peux identifier mes forces et mes compétences?
- Est-ce que je réussis à me plaire?
- Suis-je la personne que je voulais devenir?
- Ai-je une sexualité à mon image?

6. Les activités sportives

- Qu'en est-il de ma forme physique? Est-ce que je l'apprécie?
- Est-ce que je bouge un peu?
- Est-ce que je me permets de sortir le bout de mon nez pour marcher?
- Ai-je des loisirs plaisants et stimulants?

7. La sécurité externe et interne

- Suis-je capable d'entreprendre une réflexion sur mes agissements?

- Ai-je suffisamment de recul pour analyser mes réactions?
- Puis-je être mon propre témoin?
- Est-ce que je m'arrange pour recevoir de l'affection, m'en donner, m'aimer, m'encourager et m'entourer de personnes capables de m'en donner?

8. Le sentiment de perspective

- Mes actions futures sont-elles planifiées?
- Puis-je me fixer des buts (objectifs) clairs et sans ambiguïté, ainsi que des moyens pour les atteindre?
- Suis-je déterminé et discipliné pour réaliser mes objectifs?
- L'optique de me *dépasser* est-elle présente dans ma tête?
- Est-ce que je relève des défis?
- Suis-je débrouillard?
- Ai-je tendance à remettre les choses à plus tard ou à les exécuter le plus tôt possible?

Le concept d'estime de soi est l'élément majeur sous-jacent à toute thérapie sexuelle. Si le thérapeute omet de traiter et d'évaluer l'amour que son client a de lui-même, le diagnostic sera faible, c'est-à-dire que les chances de «guérison» deviennent minces.

Le thérapeute doit obtenir des informations détaillées sur la perception que le patient a de lui-même, sur son concept de soi ou le schéma intrapersonnel de soi (chapitre 2), noter les expériences et aventures sexuelles vécues, les anecdotes ou incidents en fonction desquels le patient s'évalue positivement ou se déprécie.

L'estime de soi est présente dans la séduction et est aux premières loges de la satisfaction sexuelle

Bien que l'estime de soi se développe pendant l'enfance, rien ne nous empêche de la faire fleurir à l'âge adulte. Les huits catégories précédentes sont fortement influencées par les expériences passées. Si, enfant, vous n'étiez attiré que par des activités où vous excelliez, vous ne tentiez donc rien de nouveau et vous ne vous êtes jamais avoué vos erreurs. Cela démontre que vous acceptiez mal d'avoir des limites à votre personnalité.

Dans le meilleur des cas, l'éducation parentale influence l'estime de soi par l'entraide, l'encouragement et le support, mais elle peut la perturber à travers des dynamiques de rejet, d'abus (physique ou sexuel) et de critique. Ainsi, l'enfant en arrive à penser: «Pourquoi ne m'aiment-ils pas? Il y a donc quelque chose qui cloche en moi!»

Les grossesses à l'adolescence trahissent le peu de valeur que ces jeunes filles se reconnaissent. Elles n'ont qu'une très faible estime d'elles-mêmes et leurs relations sont difficiles avec les pairs et les parents. On transporte ce bagage à l'âge adulte. Car ce bagage est le nôtre.

Si vous étiez limité, durant l'enfance, et ne démontriez pas assez de curiosité et de variété dans vos champs d'intérêt, votre sexualité sera à votre image aujourd'hui. Vous ne serez pas celui qui propose une nouvelle position, un nouveau geste sexuel, un endroit inhabituel pour faire l'amour ou une escapade amoureuse impromptue. Vous risquez aussi de trouver difficilement «chaussure à votre pied». Une personne dont l'estime est faible peut se retrouver en couple avec un partenaire de niveau social, économique et intellectuel inférieur, ou avec un partenaire abusif physiquement et mentalement.

Une baisse extrême d'estime conduit à des comportements sexuels déviants, comme l'exhibitionnisme ou le voyeurisme. Ces deux déviances évitent à ceux qui y succombent d'établir une relation avec autrui. La baisse extrême d'estime peut aussi conduire à la pédophilie, car un enfant est un être faible et passif, donc moins menaçant.

Les problèmes sexuels sont souvent le résultat d'une piètre estime de soi. Que ce soit par des échecs répétés, des douleurs, *l'inceste, le viol,* des mauvais commentaires du partenaire, des difficultés d'abandon corporel, une séduction inadéquate, des avances sexuelles refusées, l'infidélité, un accouchement pénible suivi d'une peur de reprendre les activités sexuelles. Et j'en passe...

S'estimer ou s'aimer permet de croire davantage en son pouvoir de séduction. Nous l'avons dit au chapitre 1, vous êtes en mesure d'exprimer quand bon vous semble les deux pôles de votre personnalité sexuelle. Bien souvent, ce qui vous bloque est une baisse d'estime de soi. Écoutons Jacinthe, qui s'est confiée à moi en ces mots:

«*Je sais que mon père désirait un garçon. À ma naissance il a sûrement été très déçu. J'ai donc tout fait pour répondre à ses attentes. Je suis devenue une sportive invétérée, j'ai développé une vie émotive vide, me suis forgé une carapace ainsi qu'une force de caractère. J'étais hyperdéterminée. Être comme un gars était le seul moyen d'être aimée et reconnue par mon père. Je faisais cela pour lui plaire. Maintenant je vis en couple avec Sarah. Bien que je sois très à l'aise dans mon homosexualité, j'ai de la difficulté à vivre une sexualité de femme. Je n'aime pas mon corps et suis moins à l'aise que ma conjointe à le montrer. Je sais que je suis moins génitale qu'elle. Je n'initie aucun rapprochement, car je me sens maladroite dans mes gestes sexuels et dans mon approche pour lui signaler que j'ai envie d'elle. Je panique, car j'ai terriblement peur qu'elle me laisse!*»

Jacinthe éprouve une ambivalence quant à sa vision d'elle-même. Elle se reconnaît des forces, mais aussi des faiblesses relationnelles et sexuelles. Elle a tellement «exploité» sa masculinité qu'elle a éteint sa féminité. En répondant aux attentes de son père, elle a sacrifié les siennes, ce qui influence négativement sa sexualité actuelle.

Le fait de ne pas s'estimer suffisamment comme femme perturbe son intimité sexuelle. Elle ne peut donc ressentir du plaisir lors des échanges sensuels et génitaux. Elle ne se fait pas confiance, donc elle n'initie pas de contacts sexuels.

En résumé, sa baisse d'estime de soi a un impact sur:

- *Son identité sexuelle:* sa féminité et sa séduction, son plaisir sexuel, sa satisfaction sexuelle et son image corporelle. Jacinthe ne connaît pas ses besoins de femme, elle n'est nullement en contact avec sa sensualité.
- *Son rapport à l'autre:* elle se voit déjà perdante, car elle anticipe l'échec et le refus sexuel de Sarah. Elle n'est donc pas dans des conditions gagnantes. Elle prévoit déjà le rejet causé par sa passivité sexuelle voulue.
- *Ses fantasmes:* elle ne se permet pas de fantasmer, de désirer ni d'avoir du plaisir par des pensées excitantes, puisqu'elle ne voit que le négatif, sans lumière au bout du tunnel.

Pour Jacinthe, le travail sur l'estime d'elle-même a consisté, entre autres, à la brancher sur les envies sexuelles *qui lui sont propres*, et l'amener à se créer des moyens pour défier ses peurs relationnelles et sexuelles.

L'histoire de Monique témoigne également d'une faible estime de soi et de l'impact sexuel qui en découle. Voici ce qu'elle m'a confié:

«Mon conjoint a de fortes envies sexuelles. Pour lui, l'éjaculation est cruciale et représente une relation sexuelle complète. J'ai enduré ce "calvaire" sexuel pendant cinq ans. Tout comme s'il se masturbait en moi. J'avais l'impression de n'être qu'une paire de sein et un vagin. Maintenant, je saisis ma responsabilité de ne pas m'être affirmée et de ne pas avoir eu de plaisir sexuel. J'ai encore beaucoup de difficulté à prendre ma place. Inversement, je me sens très compétente au travail. Je me fais valoriser et encourager par mes patrons et j'en suis fière. Par contre, je sais que j'ai une faiblesse sexuelle, et je sens que je ne suis pas une femme accomplie. J'aimerais que tout soit parfait, je reconnais avoir la fâcheuse habitude de tout contrôler. J'ai donc peur que mon mari aille voir ailleurs, car il doit me sentir «froide» sexuellement. On dirait que je suis incapable de faire quoi que ce soit. Réussirais-je un jour à atteindre une satisfaction sexuelle?»

Monique ne se reconnaît pas une valeur de femme, car elle est divisée en deux: la *Monique professionnelle* et la *Monique sexuelle*. Elle ne s'estime pas sur le plan personnel et croit de moins en moins à ses capacités sexuelles. S'estimer, c'est s'attribuer un mérite complet.

Ainsi, le travail thérapeutique avec Monique visera à identifier tout ce qu'elle doit mettre en place pour éprouver une satisfaction à son travail, et les transposer le plus possible aux autres sphères de sa vie.

Monique peut croire à son potentiel sexuel, puisqu'elle est déjà en mesure d'y croire à propos de son travail. Tout n'est pas perdu. Mais, si son conjoint est capable de vivre du plaisir sexuel, elle ne semble pas l'être, et tout dans son discours indique qu'elle n'arrive pas à se procurer son propre plaisir, ou à se prédisposer à l'accueillir.

Monique attend que le plaisir sexuel provienne de l'autre. Elle a oublié que son conjoint n'est pas clairvoyant. Elle doit s'aimer assez pour se laisser le temps de connaître son rythme sexuel, et non s'imposer un perfectionnisme à outrance, qui l'emprisonne joyeusement dans un carcan de «frigidité».

Bref, sa baisse d'estime d'elle-même se résume à :

- *Une identité sexuelle en redéfinition et en devenir.* Elle ne se voit pas comme une femme désirable qui s'aime et qui a le goût d'une relation sexuelle, mais plutôt comme une paire de seins et un vagin. Raison pour laquelle elle ne se donne pas le droit de vivre du plaisir sexuel. Elle se sent inférieure et incompétente face aux autres femmes en aspirant «timidement» à être une «bombe sexuelle».

- *Une quête de la perfection, par le contrôle qu'elle s'impose.* Ce sont deux concepts qui briment la liberté sexuelle et qui camouflent une insécurité personnelle et relationnelle.
- *La confiance qu'elle reçoit des autres au travail l'aide à se reconnaître une certaine valeur comme employée.* Ceci est une force. Monique doit s'imprégner de cette confiance afin qu'elle devienne intrinsèque, à savoir propre à elle-même.

Charles me confie en thérapie:

«Je ne sais plus comment séduire une femme. J'attire uniquement des femmes à problèmes, dépressives ou malades. Depuis que je suis veuf, mes enfants me délaissent. J'ai été marié à une femme n'aimant pas le sexe et qui ne m'a jamais démontré de tendresse. Je m'aperçois que je n'ai pas transmis une bonne éducation sexuelle à mes filles puisqu'elles ont des problèmes dans leurs propres couples. Elles ne semblent pas épanouies. J'ai aussi de la difficulté à être chaleureux envers elles. Je me sens maladroit et totalement incompétent. J'ai manqué d'ambi-

tion dans mon travail. Me masturber est contre ma religion, et je m'empêche de fréquenter une femme divorcée. J'ai besoin d'une femme dans ma vie, mais je me trouve ennuyant et peu attirant. Donc, je crois que je n'ai rien d'intéressant à offrir.»

Charles ne s'attribue aucune valeur d'homme. *Sa masculinité est mise en doute,* puisqu'il manque de virilité. Il croit être prisonnier de principes religieux très rigides et peu permissifs. Sa vision se résume à un tunnel sombre et sans fin.

Aucun plaisir ne lui est permis, ni aucune auto-stimulation (masturbation). *Il se croit irresponsable et coupable* de ne pas avoir su transmettre de bonnes valeurs sexuelles à ses filles. S'il ne s'aime pas suffisamment, il ne se met pas dans des conditions gagnantes pour rencontrer une future partenaire.

Alex s'est présenté en thérapie en avouant éprouver des difficulté à obtenir et maintenir une érection. Lors de l'évaluation sexologique, il se confie:

«Ma copine me fait constamment me sentir incompétent. Avec elle, j'ai l'air d'un homme "mou". Je sens qu'elle recherche quelqu'un aux antipodes de ma personnalité. Ça l'épuise que je dise souvent: "ça ne me dérange pas", lorsqu'elle propose des activités ou prend une déci-

sion. Elle est tellement agressive que lorsqu'elle se fâche je l'appelle "la tornade"! Parallèlement, je me sens incapable de m'affirmer devant elle. On dirait que ça affecte ma sexualité. Elle ne m'accepte pas tel que je suis. Par le fait même, j'anticipe mes ratés sexuels, j'ai peur de ne pas pouvoir la satisfaire.»

Le trouble érectile d'Alex témoigne d'une baisse d'estime de soi, mais plus encore d'une *absence d'agressivité d'affirmation.* Le «ça ne me me dérange pas» n'illustre pas d'opinion claire de sa part. Comme s'il ne se situait pas, laissant à l'autre toute la place. Il mérite sa place et doit la prendre.

Le travail thérapeutique entrepris auprès d'Alex fut de le conforter dans son affirmation sexuelle et dans l'expression de son désir sexuel. En effet, s'il prévoit un problème d'érection, il a peur et la peur tue le désir sexuel. Tout est relié. En plus, *Alex se voit comme un homme «mou», tout comme son érection.*

Un travail sur son identité sexuelle d'homme a été fait. À travers des exercices sur l'imaginaire nous avons ravivé sa virilité. Alex s'est imaginé être un *cow-boy* très puissant et en confiance avec les femmes. Ce qui lui a donné confiance en lui et lui a permis d'obtenir de beaux gains quant à son érection!

Monique, Jacinthe, Charles, Alex et les autres doivent comprendre que l'estime de soi va de pair avec le bien-être.

Les quatre sources de bien-être:

1 – La nourriture

Nous devons bien nous nourrir afin de respecter les besoins de notre corps, avoir au moins trois repas par jour. Si nous ingurgitons du gras, du sucre, du *fast-food* régulièrement, et ne prenons pas le temps de bien manger, nous nous considérerons aussi comme étant du *fast-food.* Bien se nourrir est capital. Prendre plaisir à manger vous permet de prendre plaisir à baiser et à goûter l'autre! Le plaisir de déguster, de savourer, de se nourrir... c'est vouloir être nourri par notre sexualité.

2. Le sommeil

Notre corps a besoin d'un certain nombre d'heures de sommeil. Dormez-vous les heures nécessaires à votre récupération? C'est peut-être huit heures pour les uns, onze heures pour d'autres ou cinq pour vous. De combien d'heures de sommeil avez-vous besoin pour vous sentir d'attaque et efficace le lendemain? Respectez-vous ce besoin? Si vous vous fixez l'objectif suivant: dormir huit heures par nuit, vous serez plus fier de vous, puisque vous vous serez respecté! Votre estime de vous-même sera votre récompense!

3. La distraction

Mettez-vous le bouton à *off* quelquefois? Vous permettez-vous de vous distraire et de décrocher de votre métro-boulot-dodo? Si la distraction est inexistante dans votre emploi du temps, vous vous «gangrenez»! Se distraire signifie avoir du plaisir dans l'instant présent et lâcher prise; ou être dans la lune le temps d'une seconde! L'important est de se permettre une détente, un amusement, un divertissement et un loisir quelconque. Habituellement, les gens réussissent à bien manger et à relativement bien dormir, mais lorsque vient le temps de se distraire, ils ont de la difficulté! Ils oublient d'inclure ce programme dans leur emploi du temps. Retenez que s'amuser et jouer *debout,* c'est être davantage en mesure de s'amuser *couché*!

4. La gratification

À quand remonte l'achat d'une petite gâterie? D'un cadeau que vous vous offrez? Se gratifier est l'expression manifeste d'une bonne estime de soi. Puisque l'on sait à quel point on vaut quelque chose. Si vous achetez toujours des vêtements à rabais, le message que vous vous envoyez est que vous vous considérez à rabais. À l'opposé, si vous craquez pour une paire de chaussures splendides, mais hors de prix, lorsque vous porterez ces chaussures, vous vous sentirez à la hauteur… de leur prix! Ainsi, vous vous envoyez un message différent. Je vaux mon pesant d'or!

Attention! N'allez pas emprunter à la banque pour faire le tour du monde demain matin! Il vous suffit de trouver de petits plaisirs qui vous satisfont. Cela peut être de porter des vêtements que vous ne vous permettez pas de porter habituellement, de vous parfumer avec votre parfum préféré, de vous cuisiner un bon repas, de faire de l'exercice, d'aller au restaurant plus souvent, au cinéma, au théâtre ou d'assister à un spectacle. Bref, il ne tient qu'à vous de trouver vos sources de gratification. Accordez-vous donc un plaisir hebdomadaire. Idéalement, cela pourrait être un plaisir corporel. Prenez un bain auquel vous aurez ajouté des sels de mer, ou de l'huile. Allez vous faire masser: cela remet le corps à sa place! Le fait de rechercher constamment des sources de gratification fait de vous un meilleur partenaire sexuel, puisque vous voudrez passer un excellent moment en compagnie de l'être cher et non perdre votre temps. Dites-vous qu'à chaque jour vous embellissez votre intérieur.

Ce que la thérapie peut changer

L'objectif d'une thérapie est de retrouver une image positive de soi. C'est aussi une transformation rapide de sa façon de penser, de ressentir les événements et de vous comporter. Lorsque les gens se présentent en clinique, l'image qu'ils ont d'eux-mêmes est la suivante… Ils sont:

- dépassés par les événements;
- déficients;
- délaissés;
- dépossédés.

Souvent, une image de soi qui laisse à désirer peut agir comme une loupe. Elle transforme une faute sans importance ou une imperfection en une lacune de sa personnalité. Il en résulte souvent un manque de confiance en soi.

En thérapie, il faut aider le patient à identifier les domaines de sa vie qui influencent son estime de soi.

Je pose d'emblée les questions suivantes:

A. Quel domaine de votre vie joue un rôle important pour définir qui vous êtes en tant que personne?
B. Quel domaine de votre vie vous aide à vous sentir bien avec vous même?
C. Quand vous pensez au type de personne que vous êtes ou que vous aimeriez devenir, quel domaine de votre vie vous vient en tête?

Deuxièmement, j'aide le patient à évaluer l'importance qu'il accorde à chaque composante de son estime de soi. Je lui demande donc de coter chaque domaine selon une échelle de pourcentage, allant de zéro à cent, du plus important au moins important.

Troisièmement, je guide le patient pour qu'il évalue dans quelle mesure il a réussi à atteindre ses buts avec succès dans chacun des domaines. Ici, je vérifie les changements cognitifs, sa façon de penser et son affirmation de soi.

À cette étape, il est utile de lui prescrire de rédiger un journal personnel dans lequel ses idées se cristalliseront. Le patient peut ainsi travailler entre les séances par la réflexion et, donc, avancer plus rapidement sur le chemin de la «guérison».

Cette troisième étape scrute les ressources et les trésors que l'on possède pour affronter un stress ou une situation désagréables, par exemple une séparation ou un échec sexuel. Voir les forces et la confiance qui se sont développées pour les transposer dans nos relations interpersonnelles.

Le mot d'ordre est de se *respecter* comme personne et comme professionnel. Donc, respecter nos convictions et nos croyances. Une estime qui porte à se respecter comme personne procure un rayonnement. Reconnaître que l'on est unique, reconnaître notre beauté intérieure. Le respect de soi implique de pouvoir disposer de plusieurs temps spécifiques de notre vie, comme:

- *Le temps du corps:* entretenir son corps, le laver, l'entraîner, le soigner, voir à quel point il peut nous satisfaire.
- *Le temps du plaisir:* rire, s'esclaffer, raconter des histoires drôles, regarder des comédies, rire de soi.

- *Le temps de la consommation:* apprécier les choses que l'on achète, en prendre soin, profiter de ses nouveaux objets, les manipuler, les ranger, bricoler…
- *Le temps des voyages:* découvrir, s'aventurer, vivre le dépaysement, être ailleurs et se laisser imprégner par la saveur de l'instant présent.
- *Le temps de l'amour:* une relation amoureuse exige du temps, en donnons-nous assez? Le temps est à l'amour ce que le soleil est aux plantes. Est-ce que le soleil brille chez vous?
- *Le temps des autres:* participer à la communauté, s'engager, faire du bénévolat, voir ses amis.
- *Le temps de la famille:* les anniversaires, les cérémonies, les retrouvailles, le temps des fêtes et des câlins collectifs.
- *Le temps de la lecture et de l'apprentissage:* livres, magazines, journaux, Internet, désirez-vous toujours apprendre, découvrir et vous ressourcer?
- *Le temps de la solitude:* nous ne sommes jamais seul, nous sommes toujours avec nous même, savons-nous quoi nous dire?

Cette variété de temps illustre toute la diversité et le potentiel à développer lorsqu'on vous dira: «Prends le temps de…» À vous de choisir lequel de ces temps vous aurez envie de privilégier. Le temps s'organise.

Puisque nous traitons de l'organisation, j'insisterai sur la nécessité de se fixer des objectifs. L'estime de soi se mesure à nos buts. Si vous désirez être millionnaire avant trente ans, c'est irréalisable, et vous risquez de vous décourager. Je vous propose plutôt de vous fixer des objectifs réalisables à court terme. Visez «petit». Pour Monique, il est crucial qu'elle prenne du temps pour elle, qu'elle se retrouve en tant que femme et qu'elle cible mieux ses besoins. Pour Jacinthe, elle doit se permettre une initiative sexuelle par semaine ou parler de sexualité au téléphone avec Sarah. Vous voyez, ce sont de petites choses, plus simples à réaliser.

L'accomplissement de ces objectifs vous démontre que vous êtes en mesure de les atteindre. Que vous êtes responsable et que vous pouvez réussir. Voici quelques objectifs simples en vue d'optimiser votre estime de soi et de raviver votre plaisir sexuel.

- Au lieu de vous précipiter hors du lit au son du réveil-matin, essayez de rester au lit avec votre douce moitié le temps d'un *snooze* de dix minutes. Restez près l'un de l'autre, enlacés, et souhaitez-vous un «bon matin» avec le sourire.
- Tentez quelques manifestations d'affection et de tendresse durant la journée, comme lui effleurer les cheveux, lui flatter le dos,

lui donner un bécot, vous prendre par la taille, faire des étreintes surprises...

- Relaxez-vous au moins vingt minutes par jour. La détente est précieuse.
- Réservez-vous une heure par semaine, rien que pour vous.
- Suggérez un bain moussant à deux pendant la semaine.
- Procurez un massage des pieds, des mains, du cou à votre partenaire.
- Dans la douche, lavez les cheveux de votre partenaire au lieu du traditionnel savonnage de dos!
- Limitez les rencontres familiales ou amicales à toutes les deux ou trois semaines, ou une fois par mois, s'il le faut. La visite empiète sur le temps de votre couple.
- Portez de la belle lingerie régulièrement.
- Demandez des compliments à l'autre, et à votre tour encouragez-le sur des aspects positifs.
- Dressez une liste d'au moins dix choses dont vous avez envie de vous féliciter.

Agissez, trouvez des idées, soyez ouverts et prenez des risques

Soyez créatifs et inventez-vous des objectifs. Ceux-ci vous mettent dans l'action en vous poussant à agir. Ils peuvent englober la tendresse, le romantisme, la sensualité ou la génitalité. Donnez-vous la chance d'apprendre sur l'autre et d'en apprendre sur vous-même. Vous limiter à des objectifs spécifiques, simples et pratiques vous permet de rester constamment concret. Vous vivrez la situation au lieu de la regarder passer. Et vous serez de plus en plus fier d'en faire partie!

Une personne jouissant d'une haute estime d'elle-même est consciente de sa dignité personnelle. Elle s'apprécie dans presque toutes les dimensions de son être et sait donc se faire respecter. Dans l'action, elle prend plus de risques «intelligents», des risques réfléchis et adaptés au contexte. Enfin, elle persévère dans la poursuite de ses projets et réussit à les accomplir. Inversement, une personne ayant une faible estime de soi a tendance à se déprécier et à se comparer désavantageusement aux autres. Elle doute de ses talents et attend l'approbation des autres pour vivre et agir. Quand elle entreprend un projet, elle se voit déjà en situation d'échec. Elle se décourage au moindre obstacle et a tendance à tout abandonner.

Bref, je propose à mes patients de faire un bilan réaliste de leurs forces et de leurs qualités afin d'augmenter leur estime de soi, de regarder objectivement ce qui fonctionne bien dans leur activité sexuelle, ce avec quoi ils sont déjà à l'aise et confortables, dans quelle situation ils se sentent les plus disposés à une relation sexuelle, ce qu'ils aiment faire et apprécient, ce qui se déroule bien dans la séquence de la séduction, du désir, de l'excitation et de l'orgasme. Ils doivent prendre du recul et bien réfléchir à cela, plutôt que de vouloir jeter des choses au dépotoir trop rapidement.

La relaxation est un excellent moyen de revenir dans son corps et... sur terre. Lorsqu'on est préoccupé, anxieux et que l'on n'arrive plus à se concentrer, une détente s'impose. Relaxer, c'est apprendre à s'aimer. Se sensibiliser au fait que son corps et son esprit ont besoin d'une pause. La relaxation repose et réénergise! S'apprécier, c'est permettre à ses muscles de se détendre.

Maîtriser les techniques de relaxation permet d'augmenter ses chances d'éprouver du plaisir dans ses relations sexuelles, puisqu'on est plus réceptif à l'autre. Stress et sexualité ne font généralement pas bon ménage. À moins d'érotiser le risque! Mais sinon, lorsqu'on a envie de sentir son partenaire près de soi et de se caresser, on est davantage dans un mode «relaxe» que «tendu»!

Geneviève se présente dans mon bureau, complètement paniquée et m'annonce: «*Je suis incapable de vivre une intimité sexuelle avec mon ami. Aucune pénétration n'est possible. J'angoisse et je stresse à l'idée qu'il me pénètre.*»

Puisque je sentais Geneviève très «pressée» de régler son problème, j'ai essayé d'en savoir plus sur sa qualité de vie. Elle me confie: «*Je suis une grande fumeuse, je travaille toujours sous pression, je dors mal, je fais des cauchemars fréquents du genre attentat à la bombe, je grinche des dents pendant mon sommeil, et le lendemain j'ai mal aux gencives; j'ai la mâchoire serrée, je me ronge les ongles, j'ai de fréquentes migraines; mon ami a observé que lorsque je dors, j'ai les poings fermés.»*

Un temps d'arrêt s'impose pour Geneviève! La détente devenait indispensable pour qu'elle puisse retrouver un état de réceptivité génitale. Elle devait détendre ses muscles. Je lui ai suggéré la méthode Jacobson[2] une fois par jour, et proposé d'inscrire sur des bouts de papiers, à glisser partout: «JE RESPIRE». Aussi, Geneviève devait, à chaque heure, se coucher par terre avec un objet sur le ventre pour pratiquer vraiment l'inspiration et l'expiration.

Nous avons essayé ensemble d'inclure le plus de moments de détente dans sa vie quotidienne. Le rire occupe une place de choix dans l'amusement et la détente. Je voulais donc que Geneviève et son copain puissent jouer, s'amuser, se tirailler et s'entourer de gens plaisants qui les fassent rire.

Le résultat fut spectaculaire! Après une douzaines de séances, Geneviève put enfin démon-

2. Techniques de relaxation «active et passive». Michel Sabourin, Cassette audio, BMG musique Québec inc., 1982.

trer davantage de réceptivité génitale avec son ami. Elle a compris à quel point son corps se crispait et elle s'est forgé des moyens pour remédier à la situation. En se fixant des objectifs de relaxation, elle a pu y parvenir, et en être très fière. Cela a rehaussé son estime de soi et sa bonne humeur. Les cauchemars se sont dissipés, et son intimité sexuelle est revenue, avec, en bonus... DU PLAISIR!

Pour tout dire, *s'aimer c'est se respecter.* C'est surtout respecter ses besoins sexuels. S'aimer pour ensuite être en mesure de *désirer* l'autre et s'attribuer une valeur suffisante pour savoir que l'on peut plaire. C'est aussi *s'adapter au changement,* et s'aimer assez pour se permettre un changement *à son rythme.*

CHAPITRE 4

À la recherche de l'univers des sens: Découvrir la sensualité

M*adone*, *antimadone*, *berger* ou *cowboy*, tous ont leur vision du déroulement d'une relation sexuelle qui exprime ou non leur sensualité. Les fausses croyances peuvent détourner le libre cours de sa créativité sensuelle, en dramatisant certaines situations jusqu'à les rendre inquiétantes. Cela peut même influencer l'estime de soi à travers ses «auto-perceptions» négatives.

Vous êtes à même de vous rendre compte que le plaisir sexuel est une question de contexte relationnel et de prédisposition mentale, émotive et personnelle.

Vos sens sont votre façon de vous brancher à votre univers et à votre partenaire. Votre perception sensorielle vous accorde la faculté d'éprouver les impressions laissées par les caresses, les paroles, les émotions et les sensations. La sensualité est quelque chose qui se développe et qu'on savoure au fil du temps. Quand on fait l'amour, tout notre être est mis à contribution: sentiments et sensations se mélangent. Qui dit sensation, dit aussi sensualité. C'est par nos cinq sens que vous pouvons avoir du plaisir sexuel.

Je vous propose donc un petit test pour évaluer votre degré de sensualité:

VOTRE DEGRÉ DE SENSUALITÉ

1. **Je me considère comme étant une personne:**
   a) Très sensuel(le)
   b) Sensuel(le) à mes heures
   c) Peu sensuel(le)
   d) Froid(e)

2. **L'ambiance de ma chambre à coucher est:**
   a) Confortable
   b) Belle à regarder
   c) Fonctionnelle
   d) En autant qu'il y ait un lit, ça me suffit

3. **On dit de moi que je suis:**
   a) Un(e) amoureux(se) passionné(e)
   b) Un(e) amant(e) de la bonne chère
   c) Une personne engagé(e)
   d) Je crois qu'on ne dit rien de moi

4. **Parler en faisant l'amour, c'est:**
   a) Essentiel, j'aime entendre des mots doux
   b) Apprécié la plupart du temps
   c) Facultatif
   d) Je n'ai rien à dire

5. **Je touche à mon corps:**
   a) Pour me satisfaire
   b) Pour le plaisir

c) Pour me laver
d) J'évite de me toucher

6. **Je touche au corps de l'autre:**
   a) Chaque fois que j'en ai l'occasion
   b) Je ne me fais pas prier lorsqu'il me le demande
   c) Si nécessaire
   d) J'évite de le faire

7. **J'embrasse l'autre:**
   a) Aussi souvent que possible
   b) Chaque jour
   c) De temps en temps
   d) À son anniversaire et pendant les Fêtes

8. **Un génie m'offre une de ces grâces, je choisis:**
   a) Le plaisir
   b) La richesse
   c) La gloire
   d) La perfection

9. **Je vibre:**
   a) Au son d'une musique douce
   b) Au son d'une musique populaire
   c) En écoutant une émission de radio
   d) Au silence

10. **Lorsque je mange:**
    a) Je prends plaisir à savourer
    b) J'ai tendance à m'empiffrer

c) C'est pour répondre au besoin de me nourrir trois fois par jour
d) Je suis plutôt du type anorexique

CALCUL DES RÉSULTATS:

- Pour chaque *A,* attribuez-vous 3 points
- Pour chaque *B,* attribuez-vous 2 points
- Pour chaque *C,* attribuez-vous 1 point
- Pour chaque *D,* attribuez-vous 0 point.

INTERPRÉTATION DES RÉSULTATS:

Entre 24 et 30 points:
Vous êtes un être rempli de sensualité, elle est à fleur de peau. Vous aimez sentir, déguster, caresser... Vous devez être à l'affût de toutes les situations invitant au plaisir. C'est excellent si vous en faites profiter votre relation amoureuse et sexuelle, car il est merveilleux de pouvoir partager ensemble une sensualité. Vous maîtrisez l'art d'«exploiter» allègrement les situations.

Entre 16 et 23 points:
Vous savez que vous avez une certaine sensualité et vous êtes bien conscient du plaisir que vous pouvez en retirer. Cependant, elle n'occupe pas vos pensées vingt-quatre heures sur vingt-quatre. Votre définition de vous-même n'est pas uniquement un être de sensation. C'est-à-dire que vous savez la «doser». Vous savez que la saupoudrer sur votre vie sexuelle peut lui donner plus de piquant. Aussi, essayez d'organiser votre horaire de sorte que vos journées ne soient pas remplies que d'heures interminables de travail.

Entre 8 et 15 points:
Pour vous, la vie est un long fleuve tranquille. Sans être une personne asexuée, on ne peut vous qualifier de bombe sexuelle non plus. Vous ne vous sentez pas toujours à l'aise devant les manifestations d'affection, car on vous demande d'être ouvert en allant vers l'autre. Par contre, vous êtes capable d'exprimer une sensualité lorsque vous vous sentez à l'aise et en sécurité. Tentez de ne pas toujours mettre des bâtons dans les roues en manifestant votre sexualité. Ne vous mettez pas de côté!

Entre 0 et 7 points:
Où se trouve le plaisir dans votre vie? Attention, la routine et la monotonie sexuelle vous guettent! Le travail est important, mais il n'y a pas que lui dans la vie. Prenez soin de vous et de votre amour. Donnez lui le temps nécessaire pour qu'il fleurisse. Cela demande que vous mettiez votre grain de sel. Vous avez sûrement vos raisons d'être si peu réceptif(ve) à la sensualité et d'avoir une carapace. S'il le faut, allez consulter afin de voir plus clair. Cela vaudrait la peine que vous y réfléchissiez un peu.

Regarder, effleurer, palper, écouter, parler et sentir sont le quotidien de la sexualité, pour ne pas dire le mode d'emploi! «Je l'ai dans la peau», «Il n'a qu'à m'effleurer la main et je fonds!», «J'aime respirer le même air qu'elle», «Je le mange des yeux», «J'aime goûter sa peau» sont des expressions qui parlent d'elles-mêmes.

Même si les sens sont innés, il est possible de les parfaire par l'acquisition de connaissances. C'est d'ailleurs l'art de l'érotisme: savoir jongler de la quantité à la qualité. Bien que les gens veuillent fonctionner en ayant une relation sexuelle satisfaisante, ils ont perdu le sentiment d'être bien dans leur peau et leur corps. On peut savoir ce que l'autre sent, mais sait-on *comment* il sent?

L'ouïe

Certains hommes ont des voix radiophoniques, très FM, qui font vibrer les femmes; certaines femmes ont des voix mélodieuses qui touchent et émeuvent. On aime ces gens avant même d'avoir songé à les regarder. On imagine une personne, une silhouette et on fantasme. La tonalité est une chose, l'intonation en est une autre.

Un «je t'aime» sec ne provoque rien, mais un «je t'aime» susurré dans l'oreille a un tout autre effet. Soyez sensible aux sons qui vous entourent, à la façon de dire les choses. Aimez-vous le son de votre voix? Vous êtes-vous déjà laissé un message sur votre répondeur et vous êtes-vous ensuite écouté? Vous devez apprivoiser votre voix d'abord pour en faire un meilleur usage avec votre partenaire.

L'ouïe est une fonction essentielle de la communication. Parler, c'est entendre. La vie, c'est le son, le silence est la mort, et l'absence de communication, c'est le vide. Votre voix transmet des messages qui influencent directement votre plaisir ainsi que l'éveil de votre désir sexuel, les gémissements, les soupirs, la respiration haletante, les bruits mouillés de caresses buccales génitales... À vous d'établir votre «cocktail acoustique» érotique personnalisé. N'oubliez pas que la musique adoucit les mœurs. Elle réveille la sensibilité et élève votre âme. La musique invite à plusieurs choses: la danse, la tranquillité, la volupté et le désir sexuel!

La sexothérapie maîtrise bien l'art d'écouter. Le thérapeute doit être apte à écouter le client sans avoir de préjugés, sans porter de jugement, avec une ouverture à la différence, s'il veut pouvoir parler de sexualité de façon franche et libre. Si le couple devant moi n'arrive plus à se comprendre, à se parler ni à s'entendre, le langage se modifie et la sexualité est perturbée. Si on ne peut s'entendre, on s'envoie des messages ambigus puisqu'on ne s'écoute plus.

En conséquence, vos distorsions cognitives frappent à nouveau à votre porte et vous vous dites: «Je pense qu'il pense que...» La thérapie sexuelle vise à prendre conscience des anxiétés projetées, mais aussi à interpréter adéquatement ce discours et à comprendre les comportements. Ce pourquoi l'ouïe est indispensable.

Le goût

Prendre plaisir à manger, c'est prendre plaisir à baiser! Ainsi, les gens qui souffrent d'anorexie et de boulimie souffrent également de sexualité dysfonctionnelle. Laisser entrer des aliments en soi et nourrir son corps signifie faire de la place à l'autre dans sa vie. Se laisser caresser, se laisser pénétrer.

«*Je ne me perçois pas comme attirante physiquement*», «*Je m'empiffre à cause d'une séparation amoureuse*», «*Je déteste manger, pour moi la nourriture n'a pas de saveur!*»

Ces affirmations font partie du discours des femmes anorexiques ou boulimiques qui suivent une thérapie. L'anorexie a plusieurs caractéristiques, dont l'angoisse de devenir obèse, le refus de la féminité et un contrôle irrationnel pour atteindre la perfection corporelle. La sexualité est une façon de célébrer la vie, tout comme le geste de se nourrir contribue à se maintenir en vie.

Ingurgiter, c'est accepter de nourrir son âme. Se l'interdire, c'est s'empêcher toute forme de pénétration, car ce geste devient intrusif.

Le corps de la femme réagit par du vaginisme (ses muscles vaginaux se contractent involontairement, puisque son vagin ne veut pas recevoir n'importe qui), de la dyspareunie (douleur lors de la pénétration) ou de l'anorgasmie. La femme se refuse à pratiquer la fellation, car elle juge le pénis sale et dégoûtant.

À l'opposé de la «pudeur buccale», il existe la boulimie. Elle se caractérise par des épisodes de faim excessive et de laisser-aller. La femme est consciente de l'anormalité de sa conduite, mais elle a aussi peur de ne pas pouvoir s'arrêter volontairement de manger.

L'histoire de Mylène

Âgée de trente-huit ans, elle se présente en thérapie sexuelle afin de régler son problème d'anorgasmie. Au cours des séances, elle avoue avoir fait des jeûnes pendant l'adolescence, car elle n'acceptait pas les rondeurs de sa féminité. Elle refusait d'entrer dans le monde des adultes, de vieillir et de découvrir son corps, le modelant à sa façon. Elle maîtrisait son identité et son autonomie. Se préoccupant à l'extrême de son apparence, elle a subi deux liposuccions aux hanches.

Actuellement, les jeûnes se sont métamorphosés en une ardente gourmandise. Mylène se croit possédée à un point tel qu'elle se jette corps et âme sur la nourriture à pleines bouchées et ingurgite des cochonneries. Même si, par la suite, elle se hait à mourir et est rongée par la culpabilité de s'être laissé tenter.

L'événement stressant: la rupture amoureuse. Mylène cherche à se remplir pour engourdir son mal; la nourriture réconforte. La notion de contrôle hante Mylène depuis des années, elle va jusqu'à la défier! Car perdre le contrôle lors d'une rencontre sexuelle est impensable. Ayant peur de l'orgasme, elle ne peut pas s'abandonner.

Le goût est un sens fortement sollicité lors de la rencontre sexuelle. La bouche s'exprime de diverses façons. Si on réussit à se délecter d'un plat servi sur la table, à en avoir l'eau à la bouche, nous aurons alors plus de plaisir à savourer notre partenaire. Perfectionnisme et contrôle conduisent à une sexualité malsaine et non épanouissante, puisqu'ils sous-entendent:

- l'absence de permission et d'abandon;
- l'absence de relâchement musculaire causée par une difficulté à atteindre l'orgasme et à recevoir la pénétration;
- la difficulté à se libérer l'esprit de préoccupations journalières nuisant à l'expression du désir sexuel.

Le but de la thérapie sexuelle sera de développer l'autonomie et l'initiative sexuelles. Aider la cliente à corriger toutes les idées noires qu'elle se fait sur son apparence physique, à découvrir les frontières de son corps et à les respecter pour qu'enfin elle soit capable d'exprimer ses sentiments, ses désirs et ses besoins sexuels.

Le baiser

Baisers esquimaux, baisers papillons, baisers romantiques, baisers érotiques, *french kiss, necking,* faire la bise, s'embrasser: la bouche s'exprime! Le baiser est sans aucun doute l'acte le plus délicieux des préludes sexuels et il fait fonctionner près de trente muscles!

La bouche est en éveil dès le début de notre existence. Le bébé suce son poing ou son pouce, il est aussi en contact avec le sein maternel ou le biberon. Plus tard, la bouche s'éveille à des sensations encore plus voluptueuses... Le baiser amoureux ranime cette ivresse demeurée latente. Un autre dialogue commence, et ce n'est pas celui des mots... mais celui du corps. L'embrassade est un acte simple et varié, allant au-delà d'une juxtaposition peau contre peau. Les lèvres permettent à chacun des partenaires de goûter l'autre et de le sentir.

Judith avoue: «*À l'aide d'un baiser, je démontre et manifeste tout mon amour; je trouve qu'il n'y a rien de mieux que le non-verbal, car je sens que mon message passe!»* Au fur et à mesure que montent le désir et l'excitation, le baiser devient un jeu de plus en plus profond et émouvant... voire même cochon! Il sait vivifier le désir sexuel, stimuler l'excitation et donne envie au partenaire de pousser plus loin ses caresses. Simon confie: *«J'aime ressentir la chair intime et sensible de ses lèvres, c'est loin d'être un contact banal!»*

La bouche est une muqueuse, tout comme le vagin. En anthropologie, le rouge à lèvres appliqué sur des lèvres pulpeuses évoque une vulve engorgée de sang, lubrifiée, prête à être pénétrée, puisqu'elle enfle et rougit quand on l'excite. Les lèvres buccales correspondent aux petites et grandes lèvres vaginales.

Un baiser accompagné d'une plongée de la langue et d'un échange de salive est donc une autre forme d'acte sexuel. Le baiser contient une forte dose d'émotions chaleureuses. Il permet aussi le doux contact des joues et des yeux. *«Nos lèvres se rencontrèrent, se goûtèrent et firent plus ample connaissance.»*

Évitez la hâte et la brutalité, car le contact trop immédiat d'une bouche déjà ouverte et d'une langue insistant pour entrer est ressenti comme décevant ou dégoûtant. Se bécoter sur la bouche, ou ailleurs sur le corps, permet de cueillir le «bouquet sexuel». L'hygiène est le mot d'ordre pour que plaisir ne devienne pas déplaisir. Les goûts laissés par des saveurs fortes comme l'alcool, le tabac, l'ail ou le parfum ralentissent la spontanéité des baisers.

Les lèvres et la langue sont d'une grande sensibilité et d'une impressionnante mobilité. Un doux baiser est une sorte de coït, celui de la langue qui accompagne la pénétration du pénis dans la position face à face, c'est un effet très aphrodisiaque! Les baisers aux seins, aux mamelons, apportent des sensations plaisantes. Les baisers génitaux (fellation ou cunnilingus) sont tout aussi exquis!

Plusieurs endroits du corps reçoivent avantageusement le contact des lèvres: le lobe de l'oreille, toute la région du cou et de la nuque, l'intérieur des cuisses, les hanches et les fesses, le dos sur toute sa longueur, le ventre et les orteils. Exprimez votre sensualité en déplaçant votre bouche jumelée à des mouvements de langue sur tous les centimètres épidermiques de votre partenaire.

Certains couples pensent à tort qu'embrasser signifie être automatiquement disposé à une relation sexuelle. Or, bien souvent, ils se privent d'un moment précieux de tendresse en choisissant de ne s'embrasser que si nécessaire. C'est bien dommage. Embrasser pendant l'acte sexuel prouve que l'on s'ouvre encore plus à l'autre et cela peut devenir très fusionnel, si on garde les yeux ouverts;

ou cochon, quand les coups de langue imitent les mouvements du va-et-vient de la pénétration. Bref, le tout augmente le plaisir. Vous souvenez-vous de votre dernière soirée de deux heures de *necking*? Si la réponse est non, remédiez à la situation!

L'amour oral

Même si nous n'en sommes pas tous des adeptes, ces caresses offrent certains avantages. En voici quelques-uns:

- lorsqu'un seul des partenaires est stimulé à la fois, elles permettent d'avoir un rapport passif avec l'autre, donc une plus grande facilité d'abandon;
- l'intensité du plaisir peut être très grande;
- elles aident les partenaires à prendre plaisir à *donner* une satisfaction sexuelle à l'autre et accentuent le sentiment d'être désiré lorsqu'on les *reçoit* à son tour;
- elles peuvent remplacer la pénétration et produire une variété sexuelle très satisfaisante.

LE CUNNILINGUS

La stimulation buccale des organes génitaux féminins se nomme *cunnilingus.* Ces caresses buccovulvaires mènent souvent les femmes à l'orgasme. Nombreuses sont celles qui n'atteignent l'orgasme avec l'homme que par cette pratique. D'autres obtiennent ainsi leurs plus éclatants moments de jouissance. Les caresses buccales peuvent très bien débuter sur le ventre, les cuisses, à l'intérieur de celles-ci et sur les grandes lèvres.

Le clitoris est stimulé avec la langue par des mouvements circulaires, selon un rythme plus ou moins rapide. La langue se déplace de gauche à droite et de haut en bas ou encore exerce des pressions douces ou fortes. La femme peut ainsi savourer la chaude moiteur de la bouche sur sa vulve. La combinaison des mouvements est encore plus stimulante. Par exemple, pendant que la langue pénètre l'orifice vaginal, un doigt s'occupe du clitoris, ou inversement.

LA FELLATION

La stimulation des organes génitaux masculins par la bouche se nomme *fellation.* Plusieurs caresses buccales sont possibles sur le pénis et autour de celui-ci. Le gland et la verge peuvent être léchés ou sucés, mis dans la bouche ou simplement caressés en surface par les lèvres et la langue. La fellation imite la pénétration vaginale. Elle s'effectue avec des mouvements de va-et-vient dans la bouche, en resserrant les lèvres autour du gland. Pour ce qui est du resserrement sur le pénis, et même de l'effet lubrifiant, la bouche offre un meilleur contrôle que le vagin.

Certains hommes apprécient les déplacements de la langue et une succion en dessous du gland (autour du frein du prépuce) et au scrotum. Des caresses manuelles du pénis peuvent aussi être prodiguées au même moment. La combinaison des caresses buccales et manuelles procure des sensations exquises! D'autres aiment une pénétration buccale profonde, qui enveloppe chaudement une bonne partie du pénis, mais, dans le feu de l'action, un brusque mouvement vers l'avant pourrait incommoder la partenaire. Il est possible pour la femme d'éviter ce désagrément en tenant la base du pénis.

Certaines femmes associent la fellation à la prostitution ou à la pornographie. D'autres n'aiment pas que le pénis pénètre trop profondément dans leur bouche, de crainte d'avoir un haut-le-cœur, ou ne souhaitent pas y recevoir le sperme. Il est important que l'homme respecte les réticences ou les objections de sa partenaire.

La situation inverse peut aussi se présenter: certains hommes refusent de faire des caresses buccogénitales à leur conjointe.

Ils en éprouvent un certain dégoût ou n'aiment tout simplement pas ça. Il est donc important d'exprimer vos craintes et d'en discuter avant de pratiquer ce genre de caresses; vous serez ainsi plus en confiance et vous pourrez vous concentrer sur le plaisir!

L'odorat

Les parfums réveillent un certain érotisme. L'arôme qu'ils dégagent ravive des souvenirs agréables. Cela peut réveiller des bons moments passés ou des images de notre enfance. Sentir nécessite un certain rapprochement. Tout au long de l'activité sexuelle l'odorat sera sollicité et créera des images, des fantasmes et des associations d'idées. Et que dit-on d'un rival? «Je ne peux pas le sentir!»

Les gens nous reconnaissent à notre odeur et à notre parfum. Lorsque vous faites la bise à quelqu'un, vous humez aussitôt son odeur. Quand un rapprochement corporel a lieu, que les corps sont en contact dans une danse, le nez est à la hauteur des cheveux ou de la nuque selon la taille respective des partenaires. Ensuite, on peut percevoir l'haleine, la saveur de la gomme à mâcher, du dentifrice, du savon: le tout transmet un signal qui sera perçu et admis ou rejeté.

Même dans le baiser, l'odorat entre en jeu. Les narines sont très actives lorsque la bouche est occupée! Que ce soit les odeurs de la lotion après-rasage, du rouge à lèvres et de l'haleine, le parfum de la peau est utilisé pour augmenter l'excitation. Les phéromones (substances glandulaires émises par l'organisme) sont aussi les odeurs subtiles de la manifestation du désir sexuel. Notre arôme génital joue pour beaucoup dans l'excitation et les caresses buccogénitales. Lors du coït, une autre odeur apparaît, celle du sperme. En résumé, posez-vous la question suivante: «Quand et comment est-ce que j'utilise l'olfaction dans ma sexualité?» Une suggestion? Glissez-vous dans une eau de bain qui embaume, à savoir les huiles essentielles, les mousses, le sel de mer et autres savons parfumés. Laissez-vous imprégner par l'inspiration du moment...

Le toucher

La peau est le plus grand organe de notre corps. La peau capte nos sensations: chaleur, froid et douleur. En palpant et en manipulant, on entre en contact avec la vie, avec notre corps et celui de l'autre. Grâce au toucher on apprend, puisque c'est une source de connaissance et d'expérience. Repensez à votre première relation sexuelle et à votre première pénétration! Ça, c'était tout un toucher!

Le toucher abolit toute distance avec l'autre. On se permet d'être proche et apprivoisé. Bien sûr, le baiser est un toucher, mais il y a aussi les câlins, les chatouilles, les caresses et les massages: autant de marques d'affection. Le toucher dans la sexualité est primordial. Il y a le toucher passif, «je reçois» les caresses, et le toucher actif, «je donne» les caresses. Dans mon livre précédent, *La sexualité au féminin et au masculin*, j'explique une autre forme de toucher par l'autoérotisme et par des exercices de focalisation sensorielle à faire en couple. Ici, le toucher est pris dans sa forme sensorielle. Au même titre que les sens précédents, il se doit d'être stimulé et éveillé pendant vos activités sexuelles pour optimiser votre plaisir. Soyez imaginatifs dans vos caresses et n'oubliez pas que tout votre corps est érogène!

La vue

Prendre plaisir à regarder et à être regardé. Mais justement, est-ce que vous regardez votre partenaire lors de vos relations sexuelles? La vue est votre complice sensuelle par sa pupille dilatée! Êtes-vous voyeur? Vous arrive-t-il de déshabiller l'autre du regard? Regardez-vous votre partenaire avec les «yeux du désir»? Le contact visuel est une forme de communication. En regardant l'autre droit dans les yeux, vous lui manifestez toute votre attention et votre présence.

Même phénomène lors des activités sexuelles. Cela peut être très romantique de savourer un moment de tendresse en faisant l'amour les yeux dans les yeux. Il peut être très sexuel de regarder l'autre nous faire des caresses buccogénitales... Certains couples apprécient la vue de dessous affriolants, aiment regarder des revues ou des films pornographiques, ou installer des miroirs à des endroits stratégiques pour ne rien manquer! La vue est importante aussi dans notre imaginaire sexuel. De quelles images nous servons-nous le plus pour nous exciter? Vous lirez, au chapitre 8, tout ce qui se rapporte à l'imaginaire sexuel.

Vos sens gagnent à être connu. Peut-être qu'en lisant ce chapitre, vous prendrez conscience que votre sensualité se porte déjà très bien, ou encore qu'elle a besoin d'un léger coup de pouce. La sensualité contribue à l'éclosion du plaisir sexuel et relationnel, elle permet de savourer le moment présent. Écoutez votre corps et laissez-le vous guider. Vous êtes votre propre baromètre.

Chapitre 5

Désir sexuel et plaisir de vivre!

Vous venez de décortiquer tout l'univers de vos sens, en découvrant, par la même occasion, d'autres façons d'exprimer votre sensualité. Maintenant, vous êtes en mesure de désirer et d'éveiller le désir par un baiser! Choisir d'éprouver du désir sexuel c'est choisir de mordre dans la vie! Le verbe «désirer» est synonyme d'extériorité. Il pousse vers autrui. Il motive notre intérêt envers les autres et contribue à notre séduction. *Madone*, *antimadone*, *berger* ou *cow-boy* ont chacun leur manière de désirer et de séduire. Ce mot contient une multitude de significations à leurs yeux.

La baisse de désir est une dysfonction sexuelle très pénible à traiter en thérapie.

Qui dit désir sexuel dit désir de mordre dans la vie.

La notion de désir sexuel est très ténue, elle varie selon l'intensité des gestes sexuels d'un partenaire envers l'autre au sein d'une même relation. Or, dans ce cas, la notion de désir doit être prise dans un sens très large.

Au cours ce chapitre, nous verrons à quel point le désir est influencé par une multitude de facteurs relevant de notre santé et de notre personnalité. Nous verrons aussi les composantes du désir sexuel, les conditions favorables à son expression par le biais de plusieurs témoignages et de quelques trucs pour laisser le désir sexuel s'exprimer.

J'ai mentionné au chapitre 2 que nos idées noires, ou notre mode de pensée, perturbent le désir sexuel. En effet, nos préoccupations quotidiennes ne cessent de nous inquiéter et empêchent le désir de suivre son chemin.

D'autres facteurs ont une incidence sur le désir: la puberté, la grossesse ou la peur d'une grossesse indésirée, la période d'adaptation à la suite de la naissance d'un enfant (passage d'une vie de couple à une vie familiale), la ménopause, la maladie, la religion ou la société, les inhibitions induites par la famille, les maladies transmissibles sexuellement, la contraception, la dépression, l'épilepsie, les problèmes rénaux ou thyroïdiens, le diabète, l'âge, etc.

Certains médicaments ont des effets secondaires non négligeables sur l'intensité du désir, quand ils ne l'inhibent pas complètement. Les coupables sont les antihypertenseurs, les antidépresseurs et les anxiolytiques. L'abus d'alcool, de cannabis et de narcotiques est tout aussi dévastateur. Voilà qui résume les causes dites organiques de la baisse de désir.

Examinons maintenant les autres causes du problème. Avez-vous de la difficulté à vous concentrer, à dormir, à avoir de l'appétit? Êtes-vous en proie à des sentiments de culpabilité?

Si c'est le cas, vous souffrez sans doute de dépression, d'épuisement professionnel ou d'un stress important. La panne de désir est une conséquence normale de la dépression. Décès, perte d'emploi, préoccupations financières et rupture amoureuse, les sources de stress sont nombreuses. Ces situations douloureuses affectent la confiance personnelle et ne font pas bon ménage avec le désir sexuel.

Le désir sexuel est partie intégrante de toutes les dysfonctions sexuelles: problèmes d'orgasme, d'excitation, éjaculation trop rapide ou douleur lors de la pénétration, angoisse de la performance, etc. Un abus sexuel peut également expliquer une forte baisse du désir. Le traumatisme est si grave qu'il devient impossible de donner et de recevoir sexuellement.

Certaines personnes éprouvent des aversions, voire des phobies sexuelles, et sont hantées par d'angoissantes images à caractère sexuel. D'autres souffrent d'une incapacité à nouer des relations intimes ou émotives. Ils ne parviennent pas à s'engager sur le plan amoureux. Cela entraîne une recherche perpétuelle de nouveaux partenaires et, au bout du compte, la personne peut se sentir frustrée car ses relations sexuelles sont dépourvues de sens et d'affectivité. La sexothérapie individuelle est alors fortement conseillée, bien qu'un travail en couple soit également nécessaire dans plusieurs cas.

Si un homme a un problème à acquérir et à maintenir une érection, il se sent perturbé, subit une perte de son estime de soi, se décourage, et son désir sexuel en prend pour son rhume. Son intérêt sexuel diminuera puisqu'il se sent incompétent dans sa virilité pénienne, étant incapable de pénétrer.

Deux couples sont venus me consulter en thérapie afin de régler une baisse du désir sexuel. Paul et Lina vivent des perturbations de leurs relations sexuelles depuis neuf ans. Paul éjacule rapidement car Lina éprouve des douleurs lors de la pénétration. Depuis quelque temps, Lina désire être pénétrée, mais elle désespère car l'éjaculation de Paul est toujours aussi rapide.

Paul est las de toujours initier, il aimerait que Lina lui fasse des demandes sexuelles. Lina lui en veut. À son avis, Paul ne sait toujours pas comment la masturber. Elle le trouve même paresseux et peu porté sur les caresses. Ils communiquent très mal leurs besoins ce qui entraîne des frustrations. Évidemment, le désir sexuel en prend un coup.

Il a fallu enseigner à ce couple des techniques de communication appropriées afin que Paul et Lina verbalisent leurs demandes de façon efficace. Puisque l'autre ne peut pas deviner ou faire de la télépathie, il faut le dire! Ensuite, il a fallu expliquer d'autres gestes sexuels, car les leurs étaient répétitifs. Notre façon de faire des avances à l'autre joue un rôle important dans l'éveil du désir.

C'est ce qu'on appelle le *script sexuel*. Il faut se demander quel geste nous voulons faire, comment nous aimons toucher, embrasser, caresser l'autre et manifester notre envie de lui faire l'amour. Le *script sexuel* est très important en thérapie, puisqu'il trace le portrait de la routine du couple et montre lequel des deux partenaires entreprend les premières avances.

Une cliente se plaignait d'une baisse de désir; selon elle, son partenaire accomplissait toujours les mêmes gestes lorsqu'il avait envie de faire l'amour. Il voulait qu'elle pose sa tête au creux de son épaule. Cela dénotait, selon elle, un total manque d'imagination.

La variété est l'épice miracle pour innover à travers ses activités sexuelles.

Le point fort de Paul et de Lina est leur humour. C'est un couple qui rit beaucoup et qui s'amuse. Ils sont donc sur la bonne voie pour restimuler leur désir sexuel.

Le second couple est constitué de Patricia et Sébastien. Lui n'en peut plus de constamment faire des demandes sexuelles. Il en vient à douter de son attirance auprès de Patricia. Il croit qu'il ne l'excite plus comme homme. Il se dévalorise, est anxieux, jaloux et imagine même qu'elle lui est infidèle.

Patricia a gardé des séquelles d'un accident de voiture, notamment une grande fatigabilité et des migraines.

À son avis, pour entreprendre une relation sexuelle il faut de l'énergie. Puisqu'elle craint d'en manquer, elle préfère ne rien entreprendre pour ne pas passer pour une allumeuse.

Les angoisses de Sébastien se perpétuent et Patricia se prive de beaux moments de sensualité et de tendresse. Cela éteint petit à petit leur désir sexuel et leur attirance mutuelle. Le point fort de leur couple est leur amour. Patricia est dotée d'une forte imagination. Elle est très créatrice; les idées d'activités communes et de sorties étaient nombreuses. Par la thérapie, d'autres façons de créer un rapprochement sexuel leur ont été proposées. Ainsi, leur manière d'être sexuels, nommée le *script sexuel,* a été ajustée et modernisée afin d'éliminer la routine et de mieux répondre aux besoins de chacun. Ils se sont exercés à mieux communiquer lorsque des angoisses apparaissent au lieu d'attendre et de provoquer des disputes.

Le désir est le préalable à toute activité sexuelle.

Il se peut que votre désir sexuel et celui de votre partenaire ne soient pas au diapason. Vous êtes-vous déjà demandé pourquoi votre conjoint a toujours envie de faire l'amour et pas vous? Ou encore pourquoi votre conjointe ne cesse de vous faire des avances alors que, la tête préoccupée, vous souhaitez avoir la paix?

Je reçois souvent en clinique des personnes qui se plaignent de l'appétit sexuel gigantesque de leur partenaire. Il est vrai que lorsqu'on a soi-même une baisse de désir, on perçoit toujours celui de l'autre comme disproportionné. S'il est d'abord stimulé par les hormones, comme la testostérone (l'hormone mâle par excellence), ce désir est influencé également par notre façon d'être et nos émotions.

À la différence de l'homme, la femme a besoin d'un peu de temps pour s'éveiller sexuellement. Elle doit se sentir désirable, convoitée, belle, séduisante et provocante. Le fait d'exciter l'autre l'excite. Cela met sa féminité en valeur et constitue la preuve que son partenaire ne désire personne d'autre qu'elle!

L'homme est plus actif dans ses demandes et la femme plus réceptive dans ses réponses. Plusieurs femmes s'inquiètent de ne pas réagir fortement aux avances sexuelles de leur conjoint. Elles aimeraient éprouver tout de suite une forte excitation, être lubrifiées instantanément et être prêtes à la pénétration. Bref, elles souhaiteraient avoir une réaction sexuelle aussi immédiate que celle de l'homme. Mais ce n'est pas le cas, et cette différence ne signifie pas qu'il existe un problème de désir.

Plusieurs définitions du mot désir existent. La première considère que le cerveau doit donner son approbation. On appelle cela une incitation neurophysiologique, elle laisse au désir le champ libre pour exister. La deuxième conception tourne autour d'une pulsion, d'une libido, d'un *drive,* comme si cette impulsion nous incitait à satisfaire nos besoins. Cela dénote l'existence d'une énergie sous-jacente au désir.

Les écrits distinguent *besoin sexuel* et *désir sexuel*. Le premier est synonyme de manque, tout comme la faim et la soif. Donc, une intervention extérieure est nécessaire pour le satisfaire.

Le désir sexuel n'exige pas une satisfaction immédiate. Il est plus souple et voyage à travers les fantasmes. Le désir sexuel est mobile, en perpétuel changement et à intensité variable.

Par exemple, les personnes ayant des partenaires sexuels différents année après année, vivent un désir renouvelé pour chacun d'eux. C'est comme si le désir s'adaptait à nos besoins, qui eux aussi changent!

On puise notre désir sexuel à diverses sources. Mais il existe aussi des situations où le désir ne s'actualise pas.

L'hypothèse «*nombre d'activités sexuelles = niveau de désir élevé*» est absurde.

Un individu peut décider de ne pas mettre à exécution son désir ou un fantasme peut s'éteindre au lieu de faire des étincelles.

Essayer de saisir toute la complexité du désir sexuel à travers une seule lentille est réducteur et quasi impossible. Nous allons lire l'histoire de Jeanne qui, en thérapie, m'a confié ceci:

Je suis en couple avec Michel depuis un an. Avant de le rencontrer, j'étais divorcée depuis huit ans. Pendant cette période je ne me suis jamais masturbée une seule fois. Je suis restée célibataire. Je commence à me poser des questions parce que je n'éprouve aucun plaisir sexuel. Au point que je n'ai plus de désir pour mon partenaire.

À bien y penser, je trouve que Michel est un homme qui ne m'écoute pas et qui n'aime pas discuter. Lorsque nous allons au restaurant, il est du genre à parler de la pluie et du beau temps. Moi, par contre, je m'intéresse aux relations hommes/femmes et j'aimerais tant échanger *sur ce sujet. Lors de nos relations, je constate qu'il est trop centré sur mes organes génitaux. De mon côté, je préfère le masser et le caresser partout, mais pas lui. Si je n'en fais pas la demande, il n'initie rien.*

Je l'aime, mais en même temps, je me pose des questions. Je voudrais tellement un homme romantique et chaleureux qui me manifeste un peu plus d'affection. Je sais que tout cela influence ma sexualité. Je ne me caresse pas, je n'ai pas de fantasmes et je ne me souviens pas avoir eu de rêves érotiques. Lorsque je lis de la littérature érotique, je ne ressens rien. C'est tellement généralisé que je ne sais plus par où commencer et surtout quoi faire...

Jeanne éprouve un désir sexuel hypoactif global, c'est-à-dire qu'elle a une baisse d'intérêt sexuel généralisée. Bien que Jeanne soit en période de ménopause et qu'aucune hormonothérapie ne lui soit administrée, on voit bien que *sa baisse de désir sexuel prend sa source dans l'aspect relationnel.*

Elle a des attentes non comblées envers Michel. Des attentes qui deviendront bientôt des exigences. La responsabilité de son désir sexuel repose sur les épaules de Michel. Elle attend en vain que son désir sexuel soit stimulé par celui de Michel. *Elle ne se permet aucun plaisir par l'autostimulation.* Jeanne doit comprendre qu'il faut être bon en solo avant de s'exercer en duo!

Il semble également s'être instauré *un mode de communication malsain* entre eux. Jeanne voudrait dire des choses à Michel, mais elle attend qu'il le fasse en premier. *Elle cultive un univers de passivité.* On a vu dans le chapitre 4 que l'ouïe est un sens important, donc la communication est essentielle à l'expression du désir sexuel.

L'histoire de Jeanne démontre que sa baisse de désir sexuel s'explique par une rigidité à ne pas s'accorder des plaisirs personnels. *Elle manque de souplesse et accorde une place infime à la sexualité en ayant choisi une abstinence prolongée de huit ans.* En laissant si peu de place à la manifestation de sa vie sexuelle, elle s'empêche de s'estimer complètement et donc, a mal choisi son partenaire de vie.

La thérapie sexuelle dans ce cas s'est concentrée sur l'actif. Il fallait mettre Jeanne en action. Par le jeu, elle s'est créé des moyens sensuels. Ceci a bien fonctionné avec Michel. Mais Jeanne se décourageait rapidement, il a fallu travailler sa motivation assez régulièrement. Nous avons réaménagé son horaire afin d'inclure le plus de souplesse possible. Jeanne ne se permettait pas de découcher en semaine.

En évaluant ses raisons et en voyant si cellesci étaient justifiées, il a été démontré à Jeanne que si cette façon de faire persistait, la routine sexuelle s'installerait à son tour. Avec le temps, Michel a été de plus en plus bienvenu chez elle, et vice-versa, ce qui a permis de beaux gains sexuels.

Pour montrer à quel point le désir sexuel est influencé par notre santé, je vais raconter l'histoire d'Hélène. Elle m'a avoué ceci:

Il y a deux ans, j'ai subi une importante opération au cerveau. Comme je me suis rétablie rapidement, j'ai repris mon travail à mi-temps. Mais mon état de santé et mon moral ont empiré. Je me sentais constamment triste, et je pleurais dès qu'un regard se faisait trop insistant. Je me suis vite aperçue que je faisais une dépression. Actuellement, je prends des antidépresseurs à faible dose pour contrôler mon humeur. Pendant tout ce temps, mon couple en a bavé. J'ai essayé d'y réfléchir, mais je me sens dans un brouillard. Je crois que mon mari m'est infidèle. Après tout, il doit en avoir assez que je ne fasse aucune demande sexuelle. Mon corps s'est déformé à la suite de ma ménopause, j'ai grossi et je me sens difforme. Je ne peux pas prendre d'hormones car j'ai déjà un cocktail de médicaments à prendre. J'en suis rendue à avoir peur d'initier un geste sexuel de crainte qu'il me rejette ou que je passe pour incompétente.

Hélène a peur d'avoir peur! Et *toutes ses peurs la paralysent.* Il est vrai que les antidépresseurs neutralisent l'humeur… et la sexualité. Mais Hélène est *aux prises avec sa pudeur sexuelle.* Elle a volontairement éteint son identité sexuelle féminine. Elle *ne se voit plus comme une femme sexuée.* Elle n'entretient pas de bonnes relations avec son corps, comme si elle ne l'habitait plus. Les adjectifs très péjoratifs qu'elle emploie pour se décrire nuisent à l'émergence de son désir sexuel.

Comme elle ne peut pas voir son corps, elle supporte mal que son conjoint y jette un regard. Elle se doit de l'aimer pour être plus convaincante dans son approche séductrice. *L'aspect conjugal est problématique.* Elle mentionne que son couple a perdu des plumes durant sa période trouble. Hélène a subi des coups durs, comment le couple s'est-il adapté aux mots maladie et sexualité?

Je crois que l'adaptation a été déficiente et la succession de légères frustrations a créé une accumulation de problèmes: manque de communication, manque d'intimité affective, distance sexuelle et perte du désir sexuel.

La thérapie a guidé Hélène vers l'appropriation de son corps et de son pouvoir de séduction. Hélène s'est trouvé des moyens pour retrouver la forme et a suggéré des activités de plein air, des soupers d'amoureux, de la danse, des scénarios sensuels et davantage d'escapades romantiques à son conjoint. Elle a perdu son idée fixe de pénétration à tout prix et s'est permis plusieurs manifestations d'affection. C'est grâce aux bonnes réactions de son partenaire qu'Hélène a retrouvé sa confiance en elle et… sa féminité.

Jeanne et Hélène partagent le même problème relationnel. Celui-ci engendre le plus souvent des difficultés de désir, allant jusqu'à les maintenir ou les créer. Ces conflits relationnels se manifestent par des jeux de pouvoir, le contrôle d'un des membres du couple, la violence physique et verbale et l'agressivité dans la répartition des tâches ménagères.

Des techniques de stimulations inadéquates et un malaise à communiquer ce qui plaît ou déplaît risque d'entraîner les partenaires à esquiver leurs demandes sexuelles respectives. S'engager et s'investir demande de la communication. Si l'un des deux partenaires est inquiet quant à sa capacité d'abandon et d'intimité, cela se répercute sur le couple et se manifeste par une baisse de désir.

Entretenir un conflit non résolu au sein du couple est le meilleur moyen de tuer le désir. Il n'y a rien de pire qu'une solide rancune pour refroidir les partenaires. Si les échanges verbaux en dehors des rapports sexuels sont insatisfaisants, cela aura des répercussions directes sur l'éveil sexuel. Un couple est illustré par l'équation suivante: 1 + 1 = 3. Il y a l'homme, la femme et la relation (la troisième personne). Si l'un des membres du couple porte le poids du problème, le sexologue montrera en quoi son conjoint en est tout aussi responsable, car celui-ci partage le mode de fonctionnement de son partenaire et contribue à faire tourner la roue.

Dans un couple, il est rare que l'envie de faire l'amour naisse au même moment. C'est au partenaire le plus excité que revient la tâche de faire jaillir le désir chez l'autre. Il est plus que souhaitable que ce dernier se laisse tenter! Au fil des saisons, notre désir sexuel change. On peut se sentir plus affectueux ou tendre à une certaine période, puis enflammé et porté vers l'érotisme à une autre. C'est de cet écart de *but sexuel* entre deux personnes que se plaignent le plus souvent les couples.

Une cliente me disait un jour: «Je rêve d'une nuit de tendresse, alors que mon partenaire ne s'intéresse qu'à mes organes génitaux. Pourquoi n'est-il pas capable de comprendre que ce n'est pas de ce plaisir que j'ai envie?» Elle avait un *but sexuel* différent de celui de son partenaire et cela est devenu, avec le temps, la principale cause de discorde dans le couple. Le désir sexuel de cette femme a fini par disparaître complètement.

Que faire maintenant? Y a-t-il de la lumière au bout du tunnel? Quand le désir s'envole il faut le rattraper. Nous y sommes pour quelque chose s'il a décidé de voler vers d'autres cieux. Mais il est en notre pouvoir de le faire redescendre. Je vous conseille de vous méfier de toute forme de routine:

- Absence de sorties en couple sans les enfants;
- Absence de vacances;
- Absence de situations romantiques;

- Absence d'initiatives sexuelles de part et d'autre;
- Absence de complicité, d'humour, de rires.

Faites aussi attention à la symbiose avec votre partenaire. Il n'est pas sain de vouloir ne faire qu'un avec l'autre et de ne plus avoir d'activités individuelles. Le désir sexuel prend sa source dans la convoitise, l'admiration et l'idéalisation du partenaire, il faut donc se détacher de l'autre pour l'érotiser.

Tâchez également de vous exprimer davantage et aussi clairement que possible pour éviter les situations litigieuses, les remords, la culpabilité et la rancune. La communication est le remède à bien des maux. Le désir sexuel est directement lié à l'estime de soi (chapitre 3). Si on se respecte, si on demeure intègre en tant que personne, on est plus en mesure de bien désirer.

Rappelez-vous que le désir est le moteur de la sexualité, il faut donc en prendre soin. Le désir nécessite que l'individu se permette une variété dans ses fantasmes sexuels et ses pensées érotiques, et qu'il ne se laisse pas envahir par des idées noires ou négatives qui gêneraient son plaisir sexuel.

Souvenez-vous aussi que, pour attiser le désir, il faut réserver du temps au couple et apprendre à savourer le moment présent. Essayez de cibler vos besoins en matière de caresses et d'affection, et n'hésitez pas à les communiquer à votre partenaire. N'oubliez pas que l'autre ne possède pas une boule de cristal et qu'il ne peut deviner ce que vous souhaitez. Tentez plutôt de mettre l'accent sur le plaisir sexuel et non sur vos différences de désir.

Créez-vous un fantasme sexuel commun, en le verbalisant ensemble. Il ne s'agit pas de l'exécuter, mais de l'imaginer. Inventez un contexte, une situation, l'ambiance, le lieu et les gestes sexuels. Rendez-vous actifs chacun de votre côté et alimentez ce fantasme par vos activités sexuelles. Vous en êtes le metteur en scène, vous pouvez donc faire exécuter ce que vous désirez aux acteurs, en l'occurrence… vous-même! Si les deux partenaires créent une atmosphère chaleureuse, leur vie sexuelle n'en ira que mieux.

Chapitre 6

Pour quelles raisons faites-vous l'amour?

Lorsqu'on sait maîtriser son désir, et que l'on connaît mieux les facteurs qui bloquent son expression, nous savons encore mieux comment vivre nos activités sexuelles. Ne nous limitons pas à définir la place qu'occupe la sexualité dans notre vie, mais posons plutôt la question suivante: «Pourquoi ai-je envie d'avoir une relation sexuelle?»

Nous avons mille et une raisons de faire l'amour. La *madone* cherche de la tendresse; l'*antimadone* des sensations fortes et une satisfaction sexuelle; le *berger* remplit son monde d'affection et le *cow-boy* cherche à matérialiser son imaginaire érotique débridé!

Votre sexualité a un but. Quel est-il? Que cherchez-vous à combler par vos activités sexuelles?

La sexualité vise à combler des besoins psycho-affectifs, comme celui d'aimer et d'être aimé; d'établir une intimité affective; de se faire rassurer dans sa masculinité et sa féminité; de séduire et de plaire à l'autre, et un besoin de romance.

La sexualité satisfait le besoin fusionnel de ne faire qu'un avec l'autre par l'attachement, la proximité, la tendresse et l'affection. Tout cela procure une sécurité affective.

Cependant, un individu peut craindre de se fondre dans l'autre, d'être absorbé par l'immense besoin d'amour de son partenaire, que l'on nomme *anxiété de réengloutissement* (comme si on était littéralement avalé et anéanti par l'autre!) Cette peur devient si importante qu'elle peut empêcher l'homme ou la femme d'établir tout engagement amoureux et tout lien fusionnel dans sa sexualité.

La sexualité sert aussi à rehausser l'estime de soi par une augmentation de l'investissement narcissique: c'est-à-dire se sentir beau, aimable, aimant, sexy, provocateur, désirable, admirable, gentil et charmant.

La valorisation (gains narcissiques importants) se produit par exemple lorsque l'homme prouve qu'il est un *vrai homme* par sa puissance pénienne, sa domination, son érection, sa capacité à pénétrer et à jouir, et lorsque la femme se sent objet de convoitise et de désir. Donc, la sexualité permet de stabiliser sa masculinité et sa féminité; ce sentiment se renforce par le lien sexuel.

La sexualité peut aussi servir à un usage défensif. En ce sens qu'elle peut être utilisée pour contrer une anxiété d'abandon (sentiment de ne plus être aimable après avoir été abandonné).

Dans pareil cas, une sexualité défensive peut se traduire par une forte poussée de libido qui envahit l'esprit et qui entraîne une baisse de sélectivité dans le choix des partenaires.

Chez la femme, elle est communément appelée *nymphomanie,* puisqu'elle consiste en une HYPERsexualité HYPOsélective. La femme éprouve par exemple une peur affreuse d'être abandonnée si elle s'engage et s'investit uniquement avec une seule personne.

Elle préfère donc offrir son corps sexué à n'importe qui, et ainsi, elle se donne l'illusion d'avoir le contrôle, de se satisfaire égoïstement dans son plaisir puisque, par ses activités sexuelles fréquentes, elle convertit un traumatisme sexuel infantile en victoire.

Magalie, victime d'inceste, m'a confié ceci en thérapie:

J'ai des relations très perturbées avec les gens qui m'entourent. Je banalise tellement la sexualité que je m'en sers pour créer des liens avec les autres, que ce soit amical, hétérosexuel ou homosexuel. J'ai des problèmes aux ovaires et je souffre d'endométriose. Je veux comprendre ce qui m'arrive. Je crois être incapable de m'engager avec quelqu'un et, en même temps, c'est mon plus fort désir. Je souhaite être aimée et je veux cesser de me servir de ma sexualité comme d'une monnaie d'échange. J'en suis épuisée mais, en même temps, c'est le seul moyen que je connaisse pour entrer en relation avec les autres.

Magalie se défend contre son angoisse de l'abandon. Elle ne sélectionne donc pas ses partenaires. Son estime d'elle-même est faible. Elle ne se croit pas intéressante, hormis sa performance au lit. C'est pourquoi elle accepte d'être en relation avec n'importe qui pour éviter d'être blessée. Comme elle se laisse pénétrer par n'importe qui, ses organes génitaux sont malmenés et elle souffre d'endométriose. Son corps lui parle et désire déterminer des limites corporelles précises: son sexe!

Magalie a été victime d'une sexualité adulte imposée à une enfant. Cette agression l'a profondément perturbée et traumatisée de sorte qu'elle ne sait plus qui aura le privilège de vivre une relation sexuelle avec elle. Elle est incapable de cibler et de définir ses besoins sexuels, et la fonction de sa sexualité. Elle se dit: «*Si je ne baise pas... que ferais-je pour établir un lien avec quelqu'un?*»

Pour tout dire, la sexualité est porteuse d'un message.

Pour optimiser son plaisir sexuel, Magalie se doit de définir ce dont elle a besoin. De plus, la sexualité est porteuse de vie, elle donne la vie. La dépression est caractérisée par une baisse de l'envie de vivre, une panne de désir sexuel et un désintérêt à l'égard de toute forme de contact sexuel. Par contre, pour une personne déprimée, la sexualité peut être l'excuse par excellence pour s'éloigner de son angoisse de mort.

La sexualité a une fonction fusionnelle, mais aussi antifusionnelle.

Nous avons tous une petite bête qui sommeille en nous et qui ne demande qu'à être réveillée lors d'une relation sexuelle. Elle s'exprime dans l'orgasme, ce moment d'intense sensation où nous sommes presque en transe. Comme dans un autre monde. Notre musculature se contracte, notre visage change... Nous nous métamorphosons!

L'érotisme antifusionnel trouve pleine satisfaction dans l'hostilité et la haine. C'est une sexualité dépourvue de romantisme et de tendresse.

C'est le volet pervers de la sexualité et de la pornographie. Ce qui compte plus que tout, c'est le plaisir de la génitalité. C'est de la bestialité à l'état pur. Ou comme on dit communément: «être cochon!»

Jocelyn a vécu une histoire semblable à celle de Magalie, et me confie ceci:

À trois ans, j'ai été abusé sexuellement. Ensuite, j'ai eu des jeux sexuels avec d'autres garçons à l'école primaire. C'est presque dire que la sexualité a toujours été une obsession pour moi. Elle me réconfortait, car je me sentais tellement rejeté par ma famille. La sexualité me hantait et troublait mon apprentissage scolaire même lorsque j'étudiais au secondaire. J'ai donc décidé de canaliser mes énergies et je me suis prostitué. J'ai arrêté depuis plusieurs années mais je me permets de compulser[3] régulièrement.

J'ai besoin de cette nouveauté, l'attrait des beaux corps, une sexualité sans conversation, dépourvue d'affect et intense. Je suis accepté et je ne vis plus de rejet. Mais je sens que mes compulsions nuisent à mon couple. Sans nécessairement arrêter drastiquement, j'aimerais cesser de me sentir coupable d'agir ainsi et mieux contrôler mes obsessions.

Jocelyn a une sexualité très défensive puisqu'il convertit lui aussi un traumatisme sexuel infantile en victoire. Il a été abusé dans l'enfance, et maintenant, à l'âge adulte, il se donne l'illusion de contrôler sa sexualité. Il est érotisé par l'anti-fusion. Ses compulsions sexuelles en témoignent.

3. La compulsion sexuelle est un besoin incontrôlable d'assouvir une pulsion sexuelle. La personne ne peut s'en empêcher. Il lui est impossible de ne pas accomplir l'acte sexuel sous peine de ressentir anxiété et angoisse.

Il se sent puissant et vainqueur d'être l'abuseur à son tour. Ainsi, il éloigne la dynamique de rejet qu'il connaît trop bien.

Il est clair qu'il recherche une intimité physique spontanée. C'est en quelque sorte le *fast food* du sexe. Il a développé l'attitude du *cow-boy*. Le sexe a habité ses pensées depuis l'abus sexuel. Comme si son univers avait alors basculé. Une sexualité adulte lui a été imposée ainsi que l'homosexualité, par la même occasion.

Il se défend contre son sentiment de rejet (anxiété d'abandon) en allant chercher des sources de valorisation et de gratification (gains narcissiques importants). Pour ce faire, Jocelyn a avantage à intégrer des érotismes fusionnels dans sa vie car, au moment où il a décidé d'entreprendre une thérapie, il se sentait épouvantablement coupable et sale d'agir ainsi.

Par la prostitution, Jocelyn abusait à son tour de ses clients en leur soutirant le plus d'argent possible. Il a voulu détenir le contrôle et le pouvoir, et être le vainqueur. L'expression «convertir un traumatisme en victoire» prend ici tout son sens.

Tout comme Magalie, Jocelyn a dû travailler ses limites corporelles en essayant de comprendre le besoin qui se cache derrière le fait de se donner à n'importe qui. Pourquoi est-ce si important? En essayant de découvrir des moyens de déterminer ses limites corporelles, il a établi ses limites parentales et amicales. Il a fait le tri des personnes non stimulantes pour lui. Ainsi, il s'est fait respecter.

L'objectif global premier en thérapie a été de cibler les besoins sexuels de Jocelyn. Que cherche-t-il à combler par ses comportements sexuels anti-romantiques? Quelle en est la raison? Comment se sent-il avant et après avoir compulsé? Le lieu et le contexte importent-ils?

Michel, pour sa part, était le *berger* exemplaire. Il éprouvait des difficultés à atteindre et à maintenir son érection. Les besoins sexuels de sa partenaire passaient avant les siens, ou bien qu'il doutait de se connaître sexuellement lui-même. Comme mon client était très fasciné par les chevaux et les armes à feu (symboles très masculins), je lui ai proposé un exercice sur la fantasmatique du *cow-boy*.

J'ai établi un scénario imaginaire à sa mesure pour lui permettre de regagner sa confiance et son pouvoir d'érection. Je lui ai demandé de me décrire sa vie en tant que *cow-boy*. Évidemment, en bon *berger* qu'il était, il ne pouvait s'imaginer en Dalton ou en Lucky Luke. Il a pris le personnage du shérif ultra-*berger*, fusionnel, très à sa place, sage, brave et respecté de tous. Fait étonnant, aucune femme ne partageait sa vie.

Pour passer outre à son scénario par trop fusionnel et pour le faire avancer dans la résolution de son problème érectile, j'ai bifurqué en lui proposant de visualiser le contexte suivant: Michel, en bon shérif, doit aller visiter un *cow-boy* ténébreux, méchant et hypersexué, assumant son agressivité phallique et n'ayant pas peur des femmes. Celui-ci invite Michel dans son village et lui impose de participer à une orgie qui a lieu dans le *saloon*.

Michel se doit de participer sinon tout son village s'envole en fumée... Or, il commence par regarder les gestes sexuels de l'autre *cow-boy*. Ce dernier prend un malin plaisir à prendre de force une femme. Elle est consentante. Elle est excitée par la puissante domination du *cow-boy* et par son impressionnante érection.

Michel examine attentivement la scène et est subjugué par la confiance du *cow-boy*. Il admire son assurance masculine et la virilité de son pénis. Rien ne le perturbe ni le déconcentre de son activité sexuelle. Michel commence alors à ressentir un état d'excitation, et se laisse absorber par l'atmosphère sexuelle et antifusionnelle du *saloon*.

Il se décide à choisir une femme qui lui plaît et à entreprendre une relation sexuelle où il se sent en pleine possession de ses moyens péniens. La tentative est couronnée de succès, et Michel est fier de regagner sa confiance.

J'ai suggéré ce fantasme afin que Michel l'utilise lorsqu'il fait l'amour avec sa partenaire, et surtout pour alimenter son imaginaire exclusivement fusionnel en ajoutant quelques ingrédients antifusionnels. Le but était de mettre davantage de piquant dans un imaginaire restreint et trop doux, de le rendre plus confiant dans sa capacité à pénétrer et d'augmenter son assurance masculine.

Du *cow-boy* tout blanc qu'il était au *cow-boy* complètement noir qu'il a visité, Michel ne deviendra pas gris. Cependant, il peut être comme le dalmatien (voir le chapitre 1) tout blanc avec quelques taches noires. Ces taches lui donneront l'assurance nécessaire pour maintenir son érection!

On voit dans cet exercice que l'intégration d'un érotisme antifusionnel à un érotisme fusionnel est une condition gagnante pour agrémenter la sexualité. Elle juxtapose les deux visages de la sexualité en réveillant cette petite bête sauvage en nous!

Imaginez le continuum:

Fusion *Antifusion*

Naviguer dans ce continuum est une preuve de polyvalence, d'ouverture et de flexibilité. Que de plaisir en perspective! Toutes les raisons invoquées pour faire l'amour peuvent être comprises à partir de la fusion et de l'antifusion. Ces deux catégories rassemblent toutes les autres.

Chaque personne a ses raisons de vivre un univers soit fusionnel soit antifusionnel. Ces deux univers ressemblent au continuum des archétypes de la féminité et de la masculinité (voir chapitre 1). Il y a des jours où vous vous sentez plus l'un que l'autre. Cela dépend de vos besoins sexuels et de ce que vous recherchez à travers eux. La solution réside dans l'établissement et le respect de vos besoins sexuels.

Tout comme Magalie et Jocelyn, vous avez vos propres raisons de faire l'amour. C'est lorsque vous les connaîtrez que le plaisir sexuel s'ouvrira à vous! Celui-ci est directement lié à vos envies.

Chapitre 7

Critères de bien-être sexuel

Atteindre un mieux-être est possible lorsque nous connaissons nos besoins sexuels et croyon en nous-même. La sexualité est quelque chose qui s'apprend par essais et erreurs, mais aussi par des expériences positives et négatives. C'est à travers elles que l'on grandit, que l'on expérimente, que l'on développe notre curiosité et que l'on acquiert de l'expérience. C'est pourquoi il est préférable de dire: «Je n'aurais pas dû» plutôt que: «J'aurais donc dû». La première affirmation sous-entend que plusieurs essais ont été faits, mais la seconde nous laisse sur notre faim.

Je ne suis pas en train de dire que l'on devient sexuellement «mature» après avoir expérimenté une multitude de facettes sexuelles allant jusqu'à la déviance. Absolument pas! Cependant, on enrichit notre sexualité si on ose découvrir d'autres formes de plaisir sexuel, c'est directement lié à la connaissance de soi. La sexualité nous apporte le plaisir sexuel. Elle nous enseigne la jouissance, et nous permet de savourer l'excitation. Avec le temps on développe une certaine maturité. Le but de ce chapitre est de démontrer que ces critères de «mieux-être sexuel» sont par la même occasion des objectifs de traitements thérapeutiques.

C'est grâce à l'estime de soi que la porte du plaisir sexuel s'ouvre à nous. Pour cette raison le premier critère de mieux-être sexuel est:

- **Investir sa spécificité sexuelle, son unicité et d'être en mesure d'intégrer des composantes masculines et féminines.**

Ce critère est la bête noire des transsexuels. Pour eux, cela représente une souffrance terrible, puisqu'ils ont envie de posséder la spécificité sexuelle du sexe opposé au leur.

La base de toute relation sexuelle plaisante est de s'assumer sexuellement comme homme ou femme dans une relation hétérosexuelle ou homosexuelle. Si le partenaire n'est pas sûr de sa masculinité, ou s'il ne reconnaît pas son pouvoir de séduction, c'est très difficile pour l'autre de l'érotiser.

**Sans verser dans les stéréotypes sexuels,
la femme doit érotiser le pénis de l'homme
pour mieux apprécier la pénétration
et en éprouver du plaisir (elle investit
la spécificité sexuelle masculine)
et l'homme doit codifier érotiquement
la sensibilité affective de la femme pour
apprécier le contact sexuel
(il investit la spécificité sexuelle féminine).**

C'est l'essence de sa propre identité sexuelle et celle de l'autre sexe qui sont à érotiser. L'idée maîtresse n'est pas d'exagérer ses traits de caractère, tant corporels que psychiques et sociaux, car ce serait être *hypermasculin* ou *hyperféminin*. La société actuelle nous permet de nous enrichir humainement en nous permettant d'exprimer certaines particularités et certains traits de caractère du sexe opposé. L'homme qui est fier de l'être peut, à l'occasion, faire preuve de sensibilité sans se sentir moins masculin ou brimé dans ses droits de «mâle»! Mais il existe un revers à la médaille.

En thérapie, Justin m'a avoué:

Lorsque je marche dans la rue, je me sens toujours à part des autres et surtout des hommes. On dirait que je ne fais pas partie de la même race. J'ai l'air d'un extraterrestre. Je sais que je suis hétérosexuel, j'adore les femmes, j'aime la musique rock et je suis un bon joueur de hockey, mais je sens que j'ai un fort côté féminin. Je soigne mon apparence, je suis du type «bon gars», je suis un excellent confident, mais je constate que je n'attire que des filles à consoler et des filles à problèmes. Ma mère m'accapare beaucoup, j'ai l'impression qu'elle n'aime pas que je sois en couple, elle m'a déjà dit que je suis l'homme qu'elle aurait aimé avoir pour mari.»

Justin se questionne quant à sa spécificité masculine. Il sent qu'il est un ultra-*berger* mais il associe à tort cette caractéristique à une faiblesse masculine. Il se dévalorise et se compare négativement aux autres hommes.

À son avis, il a trop intégré les composantes féminines. Et ce sont ces composantes qui l'inquiètent. Justin n'est pas en mesure de découvrir les forces et avantages dont il jouit à être ainsi, puisqu'il est en quête d'agressivité masculine pour devenir un *cow-boy*!

Justin devra découvrir quelles sont les circonstances d'apparition de ces caractéristiques dites «féminines» et surtout le type de femme qu'il attire en étant ainsi. Il faudrait travailler cette forme «d'inceste psychologique» que sa mère lui fait subir en le maintenant dans une relation malsaine. Le travail sur l'imaginaire effectué auprès de Michel (chapitre 6) sera à exécuter avec Justin pour qu'il développe son propre «dalmatien»!

La préoccupation de Justin trouve son pendant féminin. L'histoire de Jacinthe, que nous avons vue au chapitre 3, en fait mention. Elle s'est forgée une masculinité de surface pour plaire à son père, modèle solide de masculinité à ses yeux. Par contre, elle souffre d'un manque de féminité dans sa relation homosexuelle. Sa partenaire la force à faire ressurgir son essence féminine, car elle a des organes génitaux féminins. Sa conjointe l'aide dans la résolution de son conflit, elle la pousse à agir. Mais Jacinthe se questionne sur sa spécificité sexuelle, car elle a trop intégré les composantes de la masculinité.

Bref, la spécificité sexuelle n'est pas une mince affaire, c'est la base de la pyramide qui doit être suffisamment solide pour établir l'échelon suivant qui est:

- **L'investissement de la différence sexuelle.**

Il faut être capable de créer une intimité affective, corporelle et génitale avec l'autre sexe. La sexualité repose sur trois éléments: 1) l'identité sexuelle; 2) le rapport à l'autre sexe et 3) la génitalité. Ce qui nous intéresse ici, c'est le rapport à l'autre sexe. L'autre sexe signifie la différence et la complémentarité sexuelles. Même dans le lien homosexuel, on peut trouver une certaine hétérosexualité, puisqu'un type d'individus n'aime pas automatiquement le même type d'individus, et n'est pas non plus son miroir. Il s'agit alors de s'ouvrir à la différence pour se dépasser comme humain.

Certains de mes clients se plaignent d'être les seuls à faire des efforts pour entretenir une relation amoureuse avec un partenaire ayant des capacités d'engagement limitées. Ils sont, en fait, avec un individu qui n'a pas développé *l'aptitudes à l'investissement amoureux* et *la capacité de tomber en amour* qui impliquent l'idée de s'engager avec l'autre. Ces personnes ne peuvent développer un bien-être sexuel, car le deuxième échelon leur est pénible à atteindre.

S'engager affectivement avec un partenaire, lui attribuer un statut de *chum*, blonde, femme ou mari, c'est l'investissement de la différence sexuelle, puisque cette étape englobe la dynamique de l'engagement avec autrui.

L'idée n'est pas de faire le *compromis* d'être en couple, car les personnes que l'engagement effraie jugent astreignante la notion de *compromis*. Désirer être en couple c'est décider de *faire de la place à l'autre dans sa vie*. Être en mesure d'agir ainsi, c'est être capable de s'engager envers l'autre.

Cet investissement envers l'autre sexe passe aussi par la relation sexuelle. Pour vivre davantage de plaisir avec le partenaire, il faut développer le désir de pénétrer et d'être pénétrée. Il s'agit alors d'érotiser l'agressivité phallique.

Les organes génitaux de l'homme ou de la femme doivent être appréciés et érotisés.

Pour ce faire, il faut que les deux partenaires soient exempts de phobies sexuelles ou de craintes spécifiques.

Sophie était incapable d'être pénétrée à cause de terribles douleurs vaginales qu'on nomme *vaginisme.*

Elle a avoué à son mari: «*Je hais ton pénis; il signifie le mal qu'il me fait.*» Puisqu'elle associe douleur et pénis (attribut masculin) elle s'empêche de bien vivre le lien hétérosexuel et se prive d'un geste sexuel appréciable. Elle n'est pas avec un homme porteur d'un vagin, mais bien avec un homme porteur d'un pénis.

Elle n'a donc pas pu codifier érotiquement les organes génitaux de son partenaire et sa vie sexuelle est devenue dysfonctionnelle. On voit que Sophie doit développer le deuxième critère du bien-être sexuel et c'est l'objectif thérapeutique à atteindre. Quelle est pour elle la signification du pénis et de la pénétration? À son avis, que signifient ses douleurs vaginales? Pourquoi la tension corporelle l'emporte-t-elle sur la détente musculaire?

Où se trouve la notion de plaisir sexuel? Quelle est l'image qu'elle se fait de l'homme et de la masculinité? La réponse à ces questions donnera de très bonnes pistes de réflexion en vue d'éliminer les douleurs et d'investir davantage la différence sexuelle.

Le troisième échelon est ce dont il a été question au chapitre précédent:

- **Intégrer des érotismes fusionnel et antifusionnel.**

Il s'agit d'être excité à la fois par la romance et par la perversité. Ou de réconcilier l'amour et la haine. Deux émotions fortes, mais non aux antipodes, car tout le monde sait que le contraire de l'amour c'est l'indifférence! Ce dont il est question ici c'est d'un équilibre psycho-sexuel et surtout relationnel.

C'est également la notion de PERMISSIVITÉ (se donner le droit, être libre, dépourvu de contrainte, vivre une sexualité comme dans le cadre des vacances, ne plus se préoccuper du contrôle) en vue d'éliminer celle de PRÉVISIBILITÉ (toujours le même partenaire qui propose une activité sexuelle, de la même façon, dans le même contexte… la routine quoi!).

En d'autres termes, c'est de savoir se glisser dans la peau de la *madone* et de l'*antimadone*, du *berger* et du *cow-boy*. Pensez à l'histoire de Michel au chapitre 6, qui maintenant sait tirer profit des deux parties. La fusion et l'antifusion sont la sauce piquante de votre sexualité, elle savent relever la saveur.

Finalement, le dernier échelon ou l'objectif final en thérapie est:

- **La prédominance de la fonction complétive sur la fonction défensive de la sexualité.**

Dans le chapitre 6, j'ai décrit les fonctions de la sexualité et les besoins à satisfaire lors d'une rencontre sexuelle. Il est maintenant question de but sexuel. Le but doit être davantage la satisfaction de nos besoins que la défense de nos anxiétés.

Par exemple, il est plus sain de faire l'amour si nous avons envie de partager une tendresse physique, dans un plaisir réciproque avec l'autre (*combler des besoins psycho-affectifs*) que de faire l'amour uniquement pour prévenir une infidélité et éviter que l'autre se sépare de nous (*se défendre contre l'anxiété d'abandon*).

Faites bon usage de la sexualité. Cette dernière devient problématique et dysfonctionnelle pour un déviant ou un délinquant sexuel, car elle n'affiche que le blason de la fonction défensive.

Ces critères de bien-être sexuel ont été établis pour optimiser le plaisir sexuel et une pleine participation des deux partenaires dans l'échange sexuel, afin que cette rencontre ne soit plus problématique. Vous venez de découvrir que ces notions englobent l'estime de soi, le désir sexuel, la sensualité et votre propre opinion sur la féminité et la masculinité. Ce sont des lignes maîtresses qui orientent toute thérapie sexuelle de type sexoanalytique.

La sexoanalyse[4] met en lumière l'inconscient sexuel. Le client est amené à découvrir la source et les significations de son problème sexuel, mais aussi à surmonter toutes ses anxiétés sous-

4. CRÉPAULT, C. (1997). *La sexoanalyse*. Éditions Payot.

jacentes. Le mot d'ordre est la compréhension. Le thérapeute questionne donc abondamment son client pour que celui-ci cerne le sens de sa dysfonction sexuelle. C'est ainsi que l'histoire, l'imaginaire et les rêves sexuels sont des éléments importants lors d'une thérapie sexuelle.

Chapitre 8

L'imaginaire érotique

Puisque l'imaginaire est un élément crucial de toute thérapie sexuelle, d'orientation sexoanalytique ou non, j'ai jugé pertinent de consacrer un chapitre à ce thème. Les fantasmes font partie intégrante du plaisir sexuel. Sans eux, la sexualité est dépourvue de sens et de couleurs! Si vous voulez manger, il faut que vous ressentiez la faim. Avant d'avoir du plaisir sexuel, il faut en avoir eu l'*idée*.

Je me suis souvent retrouvée en présence d'une clientèle qui avait un vide fantasmatique. Le mot fantasme ne correspondait pas à rien pour ces personnes. Que faire dans de telle situation?

Au lieu de proposer un scénario fantasmatique, j'ai souvent incité mes clients à lire des ouvrages érotiques. Est érotique ce qui stimule et rejoint le plus une personne. C'est donc très subjectif. Il y a deux mots clés à retenir dans la notion d'érotisme: *l'amour physique* et *le plaisir sexuel*. Cependant, il y a aussi le désir, les pensées, les images et les scènes érotiques.

Littérature érotique ne veut pas dire revues pornographiques ou livres d'images sexuelles. Il s'agit de textes qui évoquent des scènes à caractère sexuel, des scénarios, des mises en scène, un contexte particulier, une certaine catégorie de personnes, des personnages agissant de manière insoupçonnées et ce, toujours dans l'optique de stimuler et capter l'intérêt sexuel des gens.

Mais pourquoi lire des livres érotiques? Pour stimuler l'imaginaire et égayer ses fantasmes? La littérature érotique fait appel à l'inconscient et à l'éveil des sens. Elle incite à effectuer un retour sur soi, sur ce qui nous plaît et nous déplaît, sur ce que nous sommes prêts à exécuter sur le plan sexuel, ce qui nous stimulerait ou nous rebuterait.

Étant donné que cette lecture peut sans aucun doute donner des idées de gestes ou de contextes sexuels, cela peut être très agréable pour un couple en panne d'imagination. Aucune concentration n'est requise lors de cette lecture puisque celle-ci propose une évasion vers le plaisir sexuel, la beauté et l'amour charnel. Cette lecture nous confronte à nos tabous ou à notre pudeur, mais aussi à notre satisfaction sexuelle et à notre plaisir.

La littérature érotique, de par les contextes et les mises en scènes particulières qu'elle propose, est une excellentes ressource dans mon travail, tant pour le client que pour le thérapeute. Prenons le cas de Simon, qui avait des difficultés à maintenir son érection. Il était célibataire et disait avoir un faible imaginaire sexuel. Il se raccrochait à d'anciennes scènes sexuelles avec son ex-partenaire.

Je lui ai proposé quelques idées de livres érotiques, et il a pu apprécier certaines historiettes plaisantes qui correspondaient à sa personnalité et s'en servir par la suite pour alimenter ses fantasmes lors de ses pratiques masturbatoires.

La lecture de livres érotiques ne suffit pas à mettre fin à une difficulté sexuelle. Tant s'en faut! C'est un instrument de la thérapie et une porte d'entrée aux fantasmes. Par la suite, un travail reste à faire au sujet des rêves et des fantasmes.

À la question «Avez-vous des fantasmes?», plusieurs répondent: «Oui». Mais lesquels? «Euh...» La réponse n'est pas si simple, car nous n'avons pas tous la même définition de ce produit de l'imagination.

Le fantasme est une représentation mentale imagée qui illustre des désirs ou des craintes comportant une valeur érotique. Pour savoir si vous êtes en mesure de fantasmer, répondez à ces questions:

- Vous arrive-t-il d'avoir des pensées érotiques en prenant votre bain, en regardant un film érotique ou un magazine?
- Le soir avant de vous endormir, vous arrive-t-il d'avoir des pensées à caractère sexuel?

- Laquelle de ces circonstances favorise d'après vous l'apparition de fantasmes érotiques?
  a) La vue d'une personne attirante de l'autre sexe?
  b) La musique?
  c) L'alcool?
  d) La danse?
  e) La lecture d'un roman érotique?

Ces questions servent à déterminer si le sujet est capable d'imaginer à la fois un contexte et des émotions agréables.

En thérapie, il est essentiel de scruter l'imaginaire du client pour bien cerner tout son univers érotique. Je pose souvent la question suivante: «Vous êtes en train de faire l'amour et vous avez envie d'obtenir un orgasme ou d'avoir tout simplement plus de plaisir, quelle image vous apparaît?» Un simple geste érotique, une position, une partie du corps de l'autre, le souvenir d'une relation sexuelle plaisante ou un scénario érotique détaillé peut alors venir en tête. Cette image peut surgir en dehors de l'activité sexuelle ou à divers moments de la relation (avant, pendant la phase d'excitation ou juste avant l'orgasme).

Le fantasme prédispose à avoir envie d'une relation sexuelle. Le fantasme témoigne d'une créativité certaine, et est lié à la montée du désir. Ainsi, il accroît l'excitation.

Comparativement aux gens qui fantasment normalement, ceux qui n'ont pas ou peu de fantasmes manifestent moins d'intérêt pour le sexe et sont plus susceptibles d'être sexuellement dysfonctionnels.

Le fantasme procure du plaisir, facilite le déclenchement de l'orgasme, donne accès à des plaisirs interdits, corrige une réalité insatisfaisante ou limitative et pallie la routine en mettant du piquant dans le quotidien. Pour s'épanouir sexuellement, il est essentiel d'avoir des pensées sexuelles.

Si on évite toute image érotique, notre intérêt pour le sexe en souffre. On s'attend à ce que l'amateur de parachutisme pense au parachutisme. S'il ne le fait pas, son intérêt s'éteindra, faute d'avoir été nourri et stimulé. C'est la même chose en ce qui concerne le sexe. C'est une stimulation essentielle!

Dévoiler un fantasme n'est pas chose facile. Pourquoi? Parce qu'en en confiant la teneur, on craint que celui-ci perde sa force érogénique et sa puissance érotique. Sur un plan plus personnel, une anxiété liée à l'anérotisme (ne plus avoir d'univers érotique, plus rien pour s'exciter) ou une perte d'identité peut apparaître.

Les fantasmes que les clients veulent bien avouer en thérapie ne sont que la pointe de l'iceberg. Pourtant, tous les fantasmes sexuels sont normaux. Ils ne le sont plus lorsque le seul type de fantasmes apparents est déviant.

Certains fantasmes ont tout intérêt à rester dans notre tête. On peut toutefois réaliser avec son partenaire des fantasmes complémentaires si chacun se sent aimé et respecté, et si on ne met pas la vie de l'autre en danger. Avant de passer aux actes, il faut prendre en considération le désir de son partenaire. Je pense à un fantasme que les hommes ont souvent: faire l'amour avec deux femmes en même temps.

Prenez bien le temps d'en parler avec votre partenaire, et sachez que, si elle ne répond pas positivement à votre demande, elle n'est aucunement obligée de réaliser vos fantasmes.

Notre univers érotique, c'est notre propre jardin secret; nous ne sommes pas tenus de l'imposer à l'autre.

Afin de vous aider à élaborer un fantasme, je vous propose le petit test suivant qui inclut des ingrédients fantasmatiques et qui comporte des questions ayant pour unique but de stimuler votre réflexion. Alors, allez-y, plongez dans l'aventure.

LES FANTASMES

Volet féminin

Lorsque je fais l'amour, je choisis les conditions suivantes:

1

a) un lit
b) une plage déserte
c) une place publique
d) le sommet d'une montagne

2

a) un homme plus jeune
b) un homme plus vieux
c) un homme de mon âge

3

a) un chanteur populaire
b) un acteur célèbre
c) un grand homme politique
d) un homme d'affaires connu
e) un auteur célèbre

4

a) un ascenseur
b) une voiture
c) une salle de conférence
d) un bureau
e) un escalier

5

a) la tendresse et la douceur
b) la folie et le rire

c) la fougue et l'énergie
d) l'agressivité et la domination

6

a) un film d'amour
b) un film d'action
c) un film pornographique

7

a) un Européen
b) un Sud-Américain
c) un Africain
d) un Asiatique
e) un Québécois

8

a) être avec une autre femme
b) être avec un autre homme
c) être avec un homme et une femme
d) en profiter pour changer de sexe et être dans la peau d'un homme

9

a) être deux
b) être trois
c) être en groupe

10

a) être attachée
b) attacher
c) être libre de toute forme de liens
d) recevoir une fessée

11

a) un gros pénis
b) un pénis moyen
c) un vibrateur et un pénis
d) la taille m'importe peu

12

a) la sodomie
b) l'amour oral
c) l'homosexualité
d) la masturbation devant l'autre

Volet masculin

Lorsque je fais l'amour, je choisis les conditions suivantes:

1

a) un lit
b) une plage déserte
c) une place publique
d) le sommet d'une montagne

2

a) une femme plus jeune
b) une femme plus vieille
c) une femme de mon âge

3

a) une chanteuse populaire
b) une actrice célèbre
c) une grande dame politique

d) une femme d'affaires connue
e) une auteure célèbre

4

a) un ascenseur
b) une voiture
c) une salle de conférence
d) un bureau
e) un escalier

5

a) la tendresse et la douceur
b) la folie et le rire
c) la fougue et l'énergie

6

a) un film d'amour
b) un film d'action
c) un film pornographique

7

a) une Européenne
b) une Sud-Américaine
c) une Africaine
d) une Asiatique
e) une Québécoise

8

a) être avec une autre femme
b) être avec un autre homme
c) être avec un homme et une femme

d) en profiter pour changer de sexe et être dans la peau d'une femme

9

a) être deux
b) être trois
c) être en groupe

10

a) être attaché
b) attacher
c) être libre de toute forme de liens
d) recevoir une fessée

11

a) des gros seins
b) des seins moyens
c) la taille m'importe peu

12

a) la sodomie
b) l'amour oral
c) l'homosexualité
d) la masturbation devant l'autre

Ce test ne vise à interpréter aucun résultat et aucun calcul n'est fait en ce sens. Le but est de trouver une façon amusante, stimulante et non menaçante d'aborder le sujet du contenu fantasmatique, et surtout de vous aider à avoir des images sexuelles plaisantes qui vous conviennent. Je vous invite tout de même à comparer vos résultats et à en discuter. Pour certains points, vous aurez coché la même chose, alors que pour d'autres ce sera exactement le contraire. Ce qui importe n'est pas d'avoir une ressemblance dans votre imaginaire, mais plutôt de dévoiler une partie de votre jardin secret. Celui-ci est susceptible de changer selon l'humeur du jour. Alors refaites le test à différentes périodes de votre vie.

Vos fantasmes peuvent apparaître en dehors des activités sexuelles, lors des activités sexuelles, au moment où vous êtes caressé, ou quand c'est vous qui caressez, lors de la relation coïtale, ou au moment de l'orgasme. Il se peut aussi que vous ayez des fantasmes lors des activités masturbatoires.

Il y a plusieurs catégories de fantasmes, ils peuvent être:

- *spontanés* (ils apparaissent subitement à notre conscience) ou *provoqués* (par un effort mental);
- *segmentaires* (une partie du corps, composé d'une seule image, un flash) ou *structurés*

(plusieurs images se succèdent, comme plusieurs segments qui font partie d'un ensemble);

- *statiques* (qui ne bougent pas, par exemple: les seins, les organes génitaux) ou *cinétiques* (impliquant une action, un mouvement comme au cinéma);
- avec une personne *réelle* ou *fictive;*
- *remémoratifs* (qui font appel à la mémoire comme le souvenir d'un événement déjà vécu) ou *anticipatifs* (qui préparent à l'action, par exemple imaginer le déroulement de sa première relation sexuelle ou d'une relation à venir);
- *ritualisés* (selon une série d'étapes, un scénario précis) ou *non ritualisés* (improvisés comme dans les rêves, ce qui laisse plus de place à l'imagination);
- *convergents* (qui font parties intégrantes de la relation sexuelle) ou *divergents* (qui sont dissociés de la rencontre sexuelle; par exemple, penser à quelqu'un d'autre);
- *compensatoires* (satisfont des désirs irréalisables, permettent de se sentir libre comme l'air, de participer à une orgie, à des activités sexuelles vicieuses et sales, de s'exhiber, d'être échangiste, de se prostituer, etc.);
- *la satisfaction des besoins psychoaffectifs*, comme la valorisation de soi, la dominance, l'autonomie et la confiance. Par exemple, s'imaginer être la vedette d'un film, être le centre

de l'intérêt sexuel de plusieurs partenaires, avoir le plein contrôle sexuel d'une personne...);
- *la consolidation de l'identité sexuelle* en augmentant le sentiment de masculinité et de féminité; par exemple, s'imaginer être une super-femme ou un surhomme, tel un don Juan...

Une autre question se pose: supposons que, pour n'importe quelles raisons, vous ayez du mal à vous exciter suffisamment pour atteindre l'orgasme lors d'une relation sexuelle, pour activer votre excitation vous sélectionnez dans votre tête l'image la plus excitante, quelle sera cette image? À quoi devez-vous faire référence pour augmenter votre excitation lors d'une activité sexuelle?

Plusieurs fantasmes stimulent les gens:

- embrasser les organes génitaux de l'autre sexe;
- enlacer amoureusement son partenaire;
- caresser un homme ou une femme avec beaucoup d'affection et de tendresse;
- revivre une relation sexuelle antérieure;
- jouer dans une scène d'un film érotique qui vous a excité;
- être avec un autre partenaire (amant ou maîtresse imaginaire);
- avoir une relation extraconjugale;
- changer de sexe;

- initier sexuellement une jeune fille ou un jeune garçon;
- avoir des activités sexuelles avec des jumeaux (ou des jumelles);
- être pris de force et obligé d'avoir des relations sexuelles avec une ou plusieurs personnes;
- avoir des activités sexuelles de groupe;
- avoir des activités homosexuelles;
- être violé;
- feindre de se battre et de résister avant de céder aux avances sexuelles d'un homme;
- être attaché et subir de l'agressivité;
- obliger une personne à des activités sexuelles;
- battre et humilier quelqu'un;
- avoir un immense pouvoir d'attraction et susciter l'envie sexuelle de plusieurs personnes;
- se masturber devant l'autre;
- être sodomisé ou sodomiser;
- regarder des gens lors de leurs ébats amoureux;
- se déshabiller graduellement devant quelqu'un;
- s'exhiber devant une autre personne, ou dans un endroit public ou faire l'amour devant un autre couple;
- être une prostituée;
- être une putain perverse, vicieuse et cochonne (l'*antimadone*);
- avoir un pénis dans la bouche et un autre dans le vagin;

- recevoir l'éjaculation dans la bouche;
- éjaculer sur son partenaire;
- être pénétré par deux pénis à la fois;
- être pénétré par un énorme pénis, etc.

On peut dire que le fait d'avoir un imaginaire érotique diversifié est un indice de santé sexuelle, puisqu'à travers le fantasme, le désir sexuel naît et se précise. Par contre, s'empêcher d'utiliser toute forme de fantasmes érotiques ou être incapable de s'exciter sans recourir à des fantasmes semblent être des situations limitatives.

Il n'y a pas de fantasmes anormaux ou mauvais. Il ne sert à rien de les réprimer. Par contre, certains fantasmes sont plus troublants et dérangeants, comme les fantasmes déviants ou homosexuels. Si de tels fantasmes occupent tout le champ de votre pensée et vous font perdre la maîtrise de vos actes, ils deviennent dangereux. Par exemple, un homme pourrait constamment fantasmer de se mettre dans n'importe quelle situation afin de pouvoir regarder des ébats amoureux ou surprendre une femme en train de se masturber. Il se positionne en tant que voyeur. S'il met son fantasme voyeuriste à exécution, il risque de se faire pincer par la police et les conséquences seront graves.

L'existence de fantasmes sexuels anxiogènes est bien réelle. Il s'agit d'images mentales à contenu sexuel qui, au lieu d'être une source d'excitation, entraînent plutôt une réaction anxieuse désagréable. Par exemple, le fantasme de l'inceste. Demander à quelqu'un d'évoquer ou d'imaginer un rapprochement sexuel avec sa mère ou son père. Instinctivement, l'émotion est négative! Du point de vue de la thérapie, il est important de connaître la nature des fantasmes sexuels anxiogènes. Mais ce qui importe le plus, c'est de savoir si des activités sexuelles normales génèrent une anxiété ou un déplaisir quand elles sont imaginées, donc une réaction anxieuse là où la majorité des gens trouveraient une excitation. Je pense, entre autres, aux femmes vaginiques. Elles contractent involontairement leur musculature vaginale ce qui empêche la pénétration, car celle-ci leur cause de la douleur et une impression de déchirure. Une pénétration devient donc un fantasme anxiogène.

Or, la question clé est la suivante: éprouvez-vous de l'anxiété si vous essayez d'imaginer les organes génitaux de l'autre sexe, des contacts orogénitaux, une relation coïtale, un attachement affectif ou amoureux ou un lien de domination ou de soumission?

Juliette, que j'ai déjà reçue en thérapie n'avait pas de fantasme anxiogène mais plutôt un vide fantasmatique. Il lui était impossible d'imaginer quoi que ce soit, et cela se reflétait dans ses activités sexuelles puisqu'elle ne réussissait pas à atteindre l'orgasme ni par masturbation ni par relation sexuelle. Elle souffrait *d'anorgasmie primaire généralisée*, c'est-à-dire d'une absence d'orgasme depuis toujours et dans toutes les circonstances.

Puisque je considérais qu'une des clés du succès dans sa quête de plaisir sexuel résidait dans son univers fantasmatique, je lui ai proposé des scénarios sexuels pouvant l'aider à visualiser la notion de plaisir.

Je lui ai demandé de s'imaginer dans la peau d'une reine très puissante ayant tous les droits. Juliette a vu cette reine très prude et innocente aimant particulièrement les contextes romantiques. J'ai donc choisi de lui présenter une reine vicieuse et vulgaire qui l'invite en son royaume et qui oblige Juliette à participer à une orgie sexuelle. Elle se laisse séduire par un homme et lui caresse le pénis. Elle se laisse bercer par l'atmosphère très sexuelle du royaume de cette reine et permet à l'homme de la pénétrer. Elle éprouve beaucoup de plaisir et se sent complètement déconnectée de ce qui se passe autour d'elle, elle se laisse entraîner. Mais l'homme éjacule et c'est surtout lui qui a du plaisir. Juliette dit avoir de la difficulté à imaginer le plaisir sexuel de la reine Juliette et de la reine vicieuse.

Durant les autres séances de thérapie, puisque Juliette a bien participé à l'élaboration du scénario de la reine vicieuse, j'ai poursuivi dans la même veine, en la remettant dans le contexte de cette orgie sexuelle, mais en y ajoutant la présence d'un guerrier à la Hercule. Ce guerrier épate tous les participants de l'orgie par sa prestance, ce surhomme est un combattant, fort et puissant, magnétique et mystérieux, et il meurt d'envie de faire l'amour violemment avec une femme, tant son désir est brûlant. Or, la femme de son choix est la reine Juliette.

Juliette est très impressionnée par cet homme. Il fait signe aux autres qu'il a trouvé sa partenaire. Juliette se sent très importante. Il l'entraîne dans un lieu en retrait, où quatre serviteurs l'attendent. Ils apportent du vin, des pétales de roses et des fourrures. Pendant que Hercule sert le vin, les quatre serviteurs caressent la reine Juliette. Ils l'installent en croix comme si elle était attachée. Elle se trouve entièrement possédée, et sent son excitation monter par toutes ces mains qui la stimulent.

Le surhomme la pénètre alors, et elle s'abandonne à toutes ces mains qui continuent de la caresser. La pénétration demeure importante, car Juliette ressent une montée de plaisir qu'elle ne peut sentir seulement avec les mains. Elle dit que cela la remplit, elle a l'impression qu'il la pénètre de plus en plus, que les vagues sont plus fortes, elle ressent même une force à l'intérieur.

L'excitation monte à son paroxysme, et Juliette est capable de tout relâcher. L'orgasme est vécu comme un long gémissement pour elle. Avec cet Hercule, elle a trouvé l'homme qui correspond à ce qu'elle cherche, et avec les quatre serviteurs et toutes ces mains, ses sens ont été mis en éveil. Juliette dit que son esprit était centré sur son corps. Après la relation sexuelle, tous restent ensemble à parler et manger, ils relaxent. Et déjà, Juliette attend une prochaine fois.

On s'aperçoit que le fantasme a un pouvoir certain sur l'excitation, puisqu'il permet l'apparition de contextes différents et de circonstances particulières. Laissez libre cours à votre imagination, votre corps vous en remerciera.

Chapitre 9

Comment rompre avec la routine sexuelle? Savoir séduire, savoir communiquer

À mon avis, le dernier palier avant d'atteindre le plaisir sexuel réside dans l'élimination de la routine conjugale. Sacrée routine quand tu nous guettes! Elle est presque incontournable pour le couple après plusieurs années de cohabitation! La passion du début a laissé la place à un rythme de vie plus paisible et moins épuisant, avec les petites habitudes de chacun. La routine conjugale et relationnelle est une chose, et la routine sexuelle en est une autre. Afin de savoir si celle-ci frappera ou a déjà frappé à votre porte, je vous propose le test qui suit.

LA ROUTINE SEXUELLE
Volet féminin

1. **Je me perçois comme étant une femme:**
   a) d'habitudes
   b) quelquefois imprévisible
   c) audacieuse et fantaisiste au lit
2. **J'initie les relations sexuelles:**
   a) rarement, je laisse à l'autre le soin de le faire
   b) quelquefois
   c) souvent
3. **Mon partenaire est du type:**
   a) prévisible sexuellement
   b) imprévisible sexuellement
   c) un doux mélange des deux
4. **Nous sortons en amoureux (seuls sans enfants ni amis):**
   a) une fois l'an
   b) de façon mensuelle
   c) chaque semaine
5. **Nous cohabitons ensemble depuis:**
   a) des années…
   b) de deux à cinq ans
   c) c'est tout récent!
6. **La façon de débuter une relation sexuelle:**
   a) est toujours la même
   b) se ressemble d'une fois à l'autre
   c) n'est jamais la même

7. Nous faisons l'amour:
   a) les fins de semaine
   b) régulièrement
   c) chaque occasion est bonne

8. Nos relations sexuelles ressemblent à:
   a) un canot au beau milieu d'un lac à attendre que le poisson morde
   b) mon sport préféré
   c) tous les sports extrêmes remplis de sensations fortes

9. Mes comportements sexuels:
   a) je m'y prends toujours de la même manière
   b) je prends plaisir dans tout ce que je fais
   c) je varie mes gestes et mon approche le plus souvent possible

10. Pendant l'activité sexuelle, je peux:
   a) décrire dans les moindres détails ce que mon partenaire fera
   b) prévoir globalement ce qui va se passer
   c) me laisser guider par l'intuition du moment

Volet masculin

1. Je me perçois comme étant un homme:
   a) d'habitudes
   b) quelquefois imprévisible
   c) fantaisiste et audacieux au lit

2. J'initie les relations sexuelles:
a) rarement, je laisse à l'autre le soin de le faire
b) quelquefois
c) souvent

3. Ma partenaire est du type:
a) prévisible sexuellement
b) imprévisible sexuellement
c) un doux mélange des deux

4. Nous sortons en amoureux (seuls sans enfants ni amis):
a) une fois l'an
b) de façon mensuelle
c) chaque semaine

5. Nous cohabitons ensemble depuis:
a) des années…
b) de deux à cinq ans
c) c'est tout récent!

6. La façon de débuter un relation sexuelle:
a) est toujours pareille
b) se ressemble d'une fois à l'autre
c) n'est jamais la même

7. Nous faisons l'amour:
a) les fins de semaine
b) régulièrement
c) chaque occasion est bonne

8. Nos relations sexuelles ressemblent à:

a) un canot au milieu d'un lac à attendre que le poisson morde

b) mon sport préféré

c) tous les sports extrêmes remplis de sensations fortes

9. Mes comportements sexuels:

a) je m'y prends toujours de la même manière

b) je prends plaisir dans tout ce que je fais

c) je varie mes gestes et mon approche le plus souvent possible

10. Pendant l'activité sexuelle, je peux:

a) décrire dans les moindres détails ce que ma partenaire fera

b) prévoir globalement ce qui va arriver

c) me laisser guider par l'intuition du moment

CALCUL DES RÉSULTATS

Accordez-vous:

- 3 points pour chaque A
- 2 points pour chaque B
- 1 point pour chaque C

ANALYSE DES RÉSULTATS

De 10 à 15 points:

Votre sexualité est synonyme de fantaisie, d'initiative, de surprise, d'imagination et surtout… de plaisir! La routine sexuelle est loin de vous guetter! Si vous persistez à mordre dans la vie, vous éloignerez ainsi l'ennui. Continuez à être imprévisible, c'est l'aphrodisiaque par excellence.

De 17 à 20 points:
Ce n'est peut-être plus l'intensité et la passion des premiers jours, mais ce n'est pas la monotonie non plus. Certes vous avez vos habitudes, et vous semblez ouvert à certaines variations sexuelles puisque vos relations ne se ressemblent pas. Gardez le changement en tête et restez ouvert à l'autre.

De 21 à 25 points:
Soyez vigilant… la routine vous guette! Elle semble s'être immiscée dans votre couple bien malgré vous. Intervenez tout de suite, en reprenant contact avec la notion de plaisir. Tentez de rire à nouveau avec votre partenaire. Souvenez-vous de la façon que vous aviez de vous séduire et servez-vous de ces moyens pour vous rapprocher.

De 26 à 30 points:
La routine sexuelle est là et semble vous ennuyer. À moins que vous aimiez à ce point la prévisibilité. N'attendez pas que votre désir sexuel flanche et que vous n'éprouviez plus

aucun plaisir à partager une sensualité affective et sexuelle avec l'autre. L'aide d'un(e) sexologue pourrait sans doute vous aider à comprendre pourquoi cette routine sexuelle s'est installée.

Si vous avez davantage l'impression de gérer une vie à deux, c'est que vous oubliez votre motivation initiale: l'amour! La baisse du désir, une fréquence sexuelle appauvrie, la multiplication des silences et des rancunes n'aident en rien à créer un climat plaisant et une complicité amoureuse.

Il vous faut retrouver des échanges vivants, sensuels et créatifs qui redynamiseront votre vie à deux et votre sexualité. Car tant et aussi longtemps qui vous ne dites rien, votre partenaire présumera que tout va bien. Comment devinera-t-il que ses caresses ne vous font plus grand-chose, surtout si vous faites semblant qu'elles vous font plaisir? Essayez la formule suivante: plutôt que de mentionner ce qui vous agace, verbalisez ce qui augmenterait votre enthousiasme. Par exemple: «J'ai envie d'essayer quelque chose de spécial, de nouveau… ça t'intéresse?» ou encore: «J'adore quand tu me touches; mais si tu me dis ce que tu me fais, c'est encore plus extraordinaire!»

Ceci est d'autant plus vrai que les préférences changent continuellement. Si, une semaine, c'est la tendresse et la douceur qui vous allument, une autre fois, ce sera de vigueur et de perversité dont vous aurez envie.

La pénétration ne témoigne pas d'une relation sexuelle complète. Par contre, si vous la stimulez avec des contacts affectifs, des mots doux, des baisers suaves... il y aura de la chair autour de l'os!

De plus, l'homme est comme un interrupteur «*on/off*», mais la femme ressemble davantage à un commutateur à intensité variable.

Que l'homme ait une érection est une chose, mais l'excitation de la femme provient des caresses reçues du conjoint. Ceci la prédispose à une relation sexuelle.

Par ailleurs, les paroles chuchotées pendant l'acte sexuel sont comme des caresses sur le corps: dites ce que vous ressentez, l'effet que vous fait l'autre, ce que vous allez faire, et le tour est joué!

Puisque une vie commune ne vise pas la dégradation de l'amour mais se veut, autant que possible, une partie de plaisir, je vous suggère des petits trucs pour vous déprogrammer de cette routine!

Observez à quelle étape vous vous situez en tant que couple. Ces étapes correspondent étrangement au développement psychosexuel de l'enfant.

1. Le fantasme de ne faire qu'un avec l'autre

C'est la symbiose, l'osmose parfaite, la fusion affective et le romantisme à la puissance dix! C'est comme dire: «Je choisis la même chose que toi, je veux ce que tu désires, je me fie à toi!»

2. Vive la différence!

Vous appréciez vos contrastes et vous les exposez dans votre couple, comme pour tester le lien qui vous unit. Par exemple au restaurant: «Comment peux-tu manger ça?»

3. S'individualiser

Chacun a ses propres activités, son réseau social, ses loisirs et ses champs d'intérêt. On explore notre capacité à s'éloigner de l'autre.

4. La cerise sur le *sundae*

On tire avantage des différences de l'autre, on se rapproche pour s'enrichir mutuellement. On veut savoir pourquoi nous sommes ensemble, on établit des règles précises et on répartit les tâches ménagères.

5. Nous formons une équipe

C'est la coopération! Nous sommes engagés à 100 % envers l'autre et nous savons que nous construisons une relation à deux. Chacun est attentif à l'autre, l'encourage dans ses projets, le soutient et s'intéresse à sa carrière.

Un couple est en constante évolution puisqu'il traverse une multitude d'étapes au cours de son existence conjugale. Avant de parler strictement de routine, il est important de vous situer selon l'une de ces cinq étapes. Par la suite, si l'étape ne vous convient pas et que des mécanismes destructeurs se sont installés à votre insu, il existe des possibilités de changements. Elles peuvent paraître simplistes, mais il n'en tient qu'à vous de les mettre en pratique.

A. Conscientiser les pires moments et les meilleurs aussi... et se le dire!

Si, pour la femme, les meilleurs moments sont ceux passés dans l'intimité, lorsqu'ils se retrouvent seuls dans leur chambre à discuter et à se caresser, et que pour son partenaire le pire moment est lorsqu'elle manifeste un manque de confiance et une certaine jalousie dans ses demandes comme «d'où il vient et avec qui il était», ils auraient avantage à se le dire. Pour lui, les meilleurs moments sont chaque fois qu'il peut développer une complicité avec elle, en découvrant le monde et en partageant une activité à deux. Étrangement, ils ne se l'étaient jamais avoué auparavant. Comme s'ils croyaient que l'autre devinerait tout.

Afin de balayer ces non-dits qui engendrent des problèmes ainsi qu'un brouillard conjugal, je vous propose un exercice stimulant. Rédigez une liste de tous les aspects qui constituent selon vous les meilleurs aspects du couple et aussi... les pires! Puis échanger vos listes pour en discuter. Très souvent les mêmes mots ne font pas référence du tout à la même réalité. Par exemple, pour lui «l'exclusivité» est une notion relationnelle, alors que pour elle c'est une notion sexuelle qui signifie une fidélité à toute épreuve.

Ainsi, si elle a dit qu'elle appréciait les hommes soignés et élégants, et qu'il se rend compte qu'il traîne en tenue de jogging toute la journée, il comprendra que cela influence la séduction et le désir sexuel. Donc, cet exercice démontre au couple sa responsabilité dans l'aggravation du *pire* et sa possibilité d'accroître le *meilleur*. Les conjoints peuvent également se rendre compte que ce qui était le *meilleur* au début de leur relation n'est plus souhaitable après quinze ans de vie commune: «Faire la fête toutes les fins de semaine avec les amis c'était super au début, mais j'ai davantage envie de jouir de moments intimes avec mon ami maintenant.»

B. Établir des règles

C'est l'occasion d'établir une charte, telle une philosophie d'entreprise. Ce sera une manière d'être en couple qui vise un bon fonctionnement. Établissez une liste des désirs et aspirations de chacun, et négociez-les à deux, si nécessaire.

Il faut définir clairement les règles conjugales. Qu'en est-il de la fidélité? Que se passe-t-il si on transgresse les règles? Si je suis infidèle, est-ce que je le dis? S'il y a désir d'un côté et absence de désir de l'autre, qui l'emporte?

De nombreux couples vivent au jour le jour sans jamais s'interroger sur leur projet de vie. Et ce qui pose problème, ce ne sont pas uniquement les conflits, mais la difficulté de se trouver un ou plusieurs projets communs. Trouver des objectifs communs est essentiel! L'impression d'œuvrer ensemble dans un même but, comme une équipe ou des associés, motive et stimule. D'un autre côté, vous pouvez réaliser que votre partenaire n'est pas la personne que vous recherchiez. Par exemple, elle avoue vivre en couple pour fonder une famille, et lui jouit du moment présent, veut concrétiser ses envies d'aventures et réalise ne s'être engagé avec elle que pour le sexe. Le couple qui aura pris conscience d'une telle différence devra négocier. L'intensité de l'union et l'amour qu'il partage lui permettra de trouver une entente, un juste milieu.

Cette étape peut paraître peu romantique. À vrai dire, elle permet à chacun des membres du couple de prendre part à la discussion; bref, de devenir acteur du spectacle au lieu d'être spectateur. Vous agissez pour le couple et êtes des partenaires responsables pour empêcher une autre *diarrhée émotive*!

3. Assumer son identité sexuelle: être un homme, être une femme

Après des années de vie commune le *cow-boy* est devenu *berger* voire *madone*. Je m'explique.

Souvent, chacun des partenaires a tendance à déserter son identité sexuelle et à perdre ses balises masculines ou féminines. Le résultat? De nombreux hommes manifestent davantage de féminité: ils sont gentils, compréhensifs, à l'écoute et arrondissent leur virilité et leur robustesse pour devenir des *bergers* par excellence ou ressembler à une «super-*madone*» auprès de leur épouse (voir chapitre 1).

Du côté de la femme, certaines deviennent très masculines: elles sont indépendantes, autonomes, manifestent du *leadership*, sont solides, vigoureuses et prennent l'autre en charge. La *madone* est devenue *cow-girl*! Cette fricassée des genres et des identités est très néfaste pour le désir sexuel. En effet, comment ressentir une forte libido envers quelqu'un qui vous ressemble tant? C'est comme si chacun avait non seulement intégré les composantes féminines et masculines mais les avaient un peu trop adoptées! (voir chapitre 7)

La solution? Reprendre possession de son identité sexuelle. Les femmes ont quelquefois besoin d'être entourées de femmes. De se voir entre amies, de faire des sorties entre femmes, et de passer des moments d'intimité verbale et affective avec d'autres femmes. De cette manière, vous parlerez de votre ménopause avec vos amies plutôt qu'à votre mari! Même chose pour les hommes.

L'immersion avec des personnes de même sexe est cruciale. Elle a pour fonction de défusionner le couple et de permettre à ses membres de cesser de penser se fondre avec l'autre. Ainsi, on pourra découvrir des différences de notre partenaire que nous ne voyons plus, et s'en nourrir à nouveau. Je ne veux pas vous imposer une vision stéréotypée de la féminité et de la masculinité. Comme mentionné au chapitre 1, il est essentiel de caricaturer les archétypes de l'identité sexuelle pour bien comprendre un phénomène sexuel et relationnel.

4. Utiliser la colère et profiter des disputes

La colère débloque et détruit des mauvaises herbes telles que la culpabilité. La relation sera saine et vivante si vous êtes capable d'exprimer votre mécontentement. Éviter la dispute est plus néfaste que bénéfique.

Trop souvent, les couples croient que se disputer atténue le sentiment amoureux. Il n'en est rien. Et pour vous en convaincre, je vous propose cette image que j'utilise souvent en thérapie.

Disons que vous avez à réparer un plafond qui coule. Un bébé est au sol à l'endroit où il faudrait installer l'échafaudage. Pour protéger le bébé, vous le déposez à l'abri dans une autre pièce.

Si vous laissez le bébé où il est, il recevra des coups et se fera des égratignures. Il en est de même pour votre sentiment amoureux. Votre bébé c'est l'amour que vous avez l'un pour l'autre. Imaginons que c'est un immense cœur. Pour le protéger de votre dispute, vous placez le cœur dans un coffre-fort. Vous vous aimez toujours puisque le sentiment amoureux est en sécurité. Maintenant, vous pouvez discuter objectivement du point à éclaircir. Le bébé protégé, vous êtes en mesure de réparer en toute quiétude le plafond qui coule! Votre bébé n'a pas disparu, il est à l'abri!

Revenons à la colère et au mécontentement. Se disputer c'est s'affirmer, c'est être acteur plutôt que spectateur, c'est être sujet plutôt que victime. Par exemple, si vous dites: «Je n'apprécie pas que tu organises des soirées avec tes amis sans m'en parler et sans même me demander mon accord.» Ça, c'est exprimer son mécontentement.

La personne qui entame une dispute doit savoir ce qui est en jeu et jusqu'où elle a décidé d'aller pour défendre son point de vue. Cela prend du courage pour mettre sur la table des sujets qui vous heurtent. Alors pourquoi ne pas dresser une liste des sujets à discuter à l'avance, ainsi vous n'en oublierez aucun. Ne retardez pas trop l'échéance, choisissez un moment et un lieu propice à la discussion, où personne ne pourra y échapper. Écoutez l'autre calmement en lui laissant la chance de s'exprimer. N'interprétez pas trop vite, vérifiez plutôt si vous avez bien compris.

La dispute doit pouvoir éclater sans que le partenaire craigne d'être rejeté, quitté ou menacé par un chantage au suicide. On peut présenter des regrets sincères au partenaire blessé, mais on doit être prêt à «réparer» et à remédier à la situation. Ce sont des dédommagements affectifs, une résolution émotive et une réconciliation, comme un mot d'humour, une parole tendre, une attention particulière, un souper aux chandelles, un bain à deux, une escapade amoureuse, un *strip-tease*, un massage, une soirée à deux… Le couple devra prendre des engagements clairs pour l'avenir. Par exemple: «Je vais te consulter avant d'inviter mes amis à la maison.»

5. Exprimer sa gratitude

Le sentiment de reconnaissance est l'engrais du couple. Je vous suggère, aussi souvent que vous le désirez, d'exprimer ce qu'éveille en vous votre partenaire, cela peut être en relation avec un geste, une attention ou une parole précise. Par exemple: «J'ai passé un délicieux moment avec toi hier soir, durant notre souper en tête à tête, je t'ai trouvé particulièrement attentionné…» Reconnaissez ce que l'autre vous donne et n'attendez pas que cela se reproduise pour le dire. Ceci est la résolution par excellence pour raffermir le lien amoureux.

Je crois qu'à travers de telles étapes, vous prenez conscience de la multitude de rôles que vous devez jouer: médiateurs, coéquipiers, amants, amoureux, acteurs… Dites-vous que tous ces rôles agrémentent votre vie de tous les jours. Rappelez-vous que si le sentiment amoureux existe encore, tous les espoirs sont permis!

Outre la gratitude, il existe plusieurs *façons de rallumer la flamme amoureuse.* La première est *d'entretenir le désir sexuel.* Ce désir suppose d'être attentif à l'humeur de l'autre, à ses états d'âme, à son monde intérieur et à ses caractéristiques personnelles. L'une de mes clientes était très olfactive. Il suffisait que son conjoint porte un parfum bien précis pour la mettre en éveil sexuel. Son partenaire le savait. Voilà comment «tenir compte de l'autre», le reconnaître dans ses préférences, son identité, ses spécificités et suivre ce mouvement.

La deuxième est la *séduction.* Les couples qui me consultent s'entendent relativement bien, et les relations sexuelles sont encore très agréables. Ce qui manque c'est l'étincelle, le piquant, les papillons dans le ventre et le frisson de l'incertitude. Ils s'aiment mais ne savent plus comment s'exciter. Ils ont cessé de se séduire puisqu'ils sont devenus trop assurés des sentiments de l'autre. Au fil du temps, la vie à deux a influencé leur perception d'eux-mêmes. Ils sont davantage des associés, et ne ressentent plus le besoin de séduire l'autre. Ils se tiennent pour acquis.

Tentez de voir ensemble ce que vous faisiez pour vous séduire. À quoi étiez-vous le plus sensible? Qu'est-ce qui vous plaisait chez l'autre? À quoi étiez-vous incapable de résister? Retrouvez ces petites choses que vous faisiez si naturellement, par vos vêtements, votre façon de parler, de vous comporter, de faire des surprises, d'étonner et de surprendre.

Fixez-vous au moins un *rendez-vous d'amoureux par semaine.* Cela n'engage pas forcément à une relation sexuelle. Ne pensez pas que ce rendez-vous soit strictement consacré à faire l'amour. C'est bel et bien un moment pour vous deux, afin de *rire ensemble* en vue de *retrouver cette belle complicité.*

N'ayez pas peur des *idées folles* qui gravitent autour de la magie amoureuse. Glissez à l'autre *un petit mot rempli de sous-entendus sensuels et sexuels* dans son sac à main, dans sa boîte à lunch, dans son porte-document ou dans la poche de son veston. Laissez-lui un message au travail, dans sa boîte vocale ou par courriel, pour lui dire ce que vous lui feriez s'il (elle) était là. Au moment de faire l'amour, *bandez-lui les yeux.*

Cela vous permettra de redécouvrir votre partenaire de façon originale et, en plus, vous serez surpris par les caresses, car vous ne les verrez pas venir.

Retrouvez la folie de l'adolescence, proposez-lui d'aller faire du «parking» comme avant, ou profitez des espaces encore inexplorés de votre maison pour *pratiquer une «p'tite vite».* C'est une bonne façon de raviver la flamme du désir dans le couple. Le matin, *réveillez l'autre en lui faisant l'amour oral.* L'autre émerge du sommeil grâce à des coups de langue provenant d'une bouche chaude. *Érotisez l'attente en laissant venir les fantasmes tout au long de la journée* dans l'espoir de se retrouver pour terminer ce qui a été commencé.

MAIS QUE FAIRE QUAND RIEN NE VA PLUS?

Si vous tentez l'impossible et que malgré votre bonne volonté quelque chose bloque le bon fonctionnement du couple, c'est que vous êtes des candidats potentiels à une thérapie. Il est parfois sain de s'asseoir face à soi-même afin de découvrir la source du malaise. Une thérapie sexuelle amène les gens à découvrir et à exploiter toutes les ressources sexuelles de leurs corps. Ceci amène évidemment une satisfaction sexuelle qui aurait pu être écartée de la vie de couple ou engendrer d'autres difficultés psychologiques, relationnelles ou sociales. Tout le monde gagne à réfléchir sur soi. Cette démarche revalorise le couple.

Dès la première séance, il faut s'attendre à une sorte «d'examen sexuel», il s'agit d'un questionnaire nommé *anamnèse sexuelle*, et qui ressemble aux questions posées par votre médecin. Celui-ci vous demande de vous déshabiller pour vous examiner, c'est son travail et il y est habitué. La même chose se produit en thérapie sexuelle. Par les questions demandées, vous serez amené à dévoiler des choses très intimes. Le sexologue est habitué à entendre ce genre de discours. Par contre, s'il vous demande de vous déshabiller, fuyez vous n'êtes pas dans le bureau d'un professionnel!

Mais qui choisir? Comment sera-t-il (elle)? Que lui raconter? Par où commencer? Une thérapie, c'est comme une histoire d'amour: la bonne rencontre est celle qui vous donne l'impression d'être en présence d'un(e) sexologue qui comprendra votre souffrance et saura vous aider à l'éliminer. Le rôle d'un thérapeute est d'écouter et de vous mettre en confiance.

Je dis souvent à mes clients que la thérapie est un travail d'équipe, je travaille aussi fort qu'eux, pour tenter de résoudre le problème. Le but est que la personne n'ait plus besoin de moi après un certain laps de temps. Je mentionne aussi que je suis comme un optométriste. Je vais trouver le bon diagnostic pour vous aidez à voir plus clair. Souvent, dès le début de la première séance, je dis: «*Ça y est! Vous avez décidé de cesser de vous noyer et d'enfin sortir la tête de l'eau!*» Les clients qui se présentent dans mon bureau ont déjà assez de problèmes à régler pour que je ne les laisse pas dans l'embarras du silence. Je pose des questions générales d'abord, et ensuite plus précises pour déterminer leur problématique, cerner le motif de la consultation, voir leur motivation, déterminer des objectifs de thérapie afin d'être rapidement efficace.

Mon travail consiste également à recadrer le client, c'est-à-dire à le ramener au problème initial, si son discours part dans tous les sens. De plus, consulter un sexologue en couple montre que vous vous mobilisez pour une troisième entité: votre couple! Cela permet de prendre du recul, de dédramatiser la situation et d'y voir plus clair avant qu'il ne soit trop tard. Dites-vous qu'une thérapie est beaucoup moins onéreuse qu'un divorce!

CONCLUSION

Nous voici au terme de cette escapade dans l'univers du plaisir sexuel. Un voyage de découverte qui a permis de mieux connaître des endroits encore inexplorés. Au départ, mon projet était de vous intéresser à une vision différente du plaisir sexuel par plusieurs histoires de cas vécus. Il m'apparaissait essentiel d'expliquer le plaisir sexuel au-delà du sens commun qu'on lui donne. Je voulais que mon explication sur le plaisir surpasse la notion technique afin de laisser toute la place à la subjectivité. Sans estime de soi aucun désir sexuel n'apparaît et aucune sensualité n'est possible.

Les raisons qui vous poussent à faire l'amour, les besoins que vous cherchez à combler stimulent votre imaginaire sexuel et pourraient vous sortir du marasme de la routine. Il vaut la peine de se préoccuper de sa vie sexuelle et amoureuse. Vous en sortirez vainqueur et gagnant. La clé de votre plaisir sera votre capacité de naviguer d'une rive à l'autre de chacun des continuums vus dans cet ouvrage. Faites votre choix, tout en demeurant flexible et ouvert.

Savourer sa vie sexuelle n'exclut pas l'éventualité d'un problème, surtout lorsque le vieillissement s'en mêle! Personne n'est à l'abri d'une difficulté, et j'espère que vous aurez le réflexe d'aller consulter un sexologue le moment venu pour vous aider à mieux comprendre et trouver des solutions. Si vous désirez faire un cheminement dans ce sens, vous pouvez me contacter au (514) 386-6367, il me fera plaisir de vous venir en aide.

Je souhaite ardemment que vous ayez fait bon voyage au pays du plaisir sexuel!

BIBLIOGRAPHIE

BROUILLETTE, D. *et al.*, (1991). *Dysfonctions sexuelles, guide pratique à l'intention du médecin.* Montréal. Éd. Productions Médico-Sexologiques.

BURNS, D. (1994). *Être bien dans sa peau*. Saint-Lambert. Éd. Héritage inc.

CRÉPAULT, C. (1997). *La sexoanalyse*. Paris. Éd. Payot.

CRÉPAULT, C. (1991). *Protoféminité et développement sexuel*. Sillery. Presses de l'Université du Québec.

CRÉPAULT, C. (1981). *L'imaginaire érotique et ses secrets*. Sillery. Presses de l'Université du Québec.

CRÉPAULT, C. *et al.* (1976). «L'imaginaire érotique de la femme», in *Sexologie perspectives actuelles*. Montréal. Presse de l'Université du Québec.

GRAFEILLE, N. *et al.* (1983). *Les cinq sens et l'amour.* Paris. Éd. Robert Laffont.

LAVALLÉE, S. (1998). *L'évolution de la perception de l'agressivité phallique, lors de la thérapie sexoanalytique, de deux femmes souffrant de sexoses coïtales*. Rapport d'activité comme exigence partielle à la maîtrise en sexologie, Montréal. Université du Québec à Montréal.

PARADIS, A-F. et LAFOND, J. (1990). *La réponse sexuelle et ses perturbations*. Boucherville. Éd. G. Vermette inc.

ZILBERGELD, B. (1993). *The new male sexuality*. New York. Bantam Books.

NOTES PERSONNELLES

NOTES PERSONNELLES

NOTES PERSONNELLES

NOTES PERSONNELLES

NOTES PERSONNELLES

NOTES PERSONNELLES

NOTES PERSONNELLES

NOTES PERSONNELLES

NOTES PERSONNELLES

NOTES PERSONNELLES

NOTES PERSONNELLES

Québec, Canada
2000

Imprimé au Canada